探索天下·学生版

外星人与UFO未解之谜

Waixingren yu UFO Weijie Zhi Mi

郑丽萍◎主编

北京出版集团公司
北京教育出版社

探索世界的奥秘，

爱因斯坦曾说过：

“探索奥秘对于人类而言，是美妙的事情。”

“探索天下·学生版”系列丛书是一把为你打开奇妙新世界的钥匙，翻开这套书，你会看到：

新奇知识大搜罗

关于你对未知世界的诸多疑问，这里没有答案，只有关于未知世界的1001个问题，而答案等待你来寻找！

真实世界大展示

真实、理性、科学的事实陈述，高清、丰富、多角度的图片呈现，让你更直观、更清晰地了解未知世界！

神秘世界大发现

深海的宝藏、外星人的基地、会动的植物、恐龙的DNA、神奇的金字塔、瑰丽的海底世界……世界的每一个角落都藏着谜团，等待你去寻找，去破解！

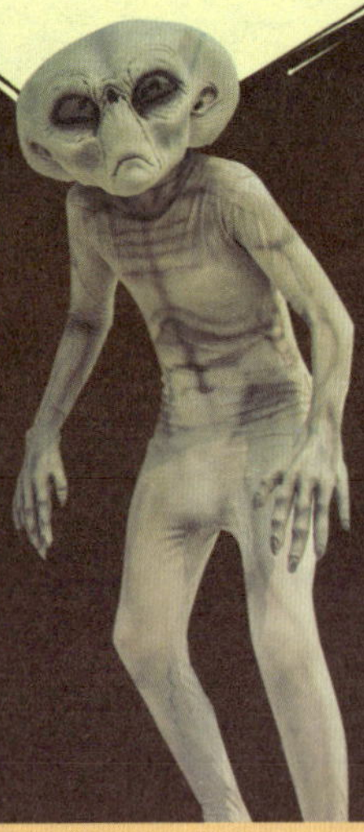

我们不要枯燥，不要呆板，要让科学好玩起来！

找到属于你的答案！

探索未知，拓宽知识视野；
发现新知，培养创新精神。

1

本书会带你在历史遗迹中追寻外星人的踪迹和与外星人有关的神秘印纹。比如，三星堆遗址是外星文明吗？“河图”“洛书”是外星人的馈赠品吗？……

2

你会了解与外星人有关的小知识。比如，寻找外星人有哪些途径？外星生命的诞生需要哪些条件？哪些星球可能存在外星生命？……

3

你可能很想了解UFO。比如，UFO热的首次出现，访问地球的UFO类型，UFO的高速飞行原理，UFO的性能，对UFO基地的猜测与探寻，等等。

4

你肯定也想知道人类探索外星文明的步伐。比如，人类探索外星文明的历史，人类对外星朋友的亲切问候，外星人可能来自猎户座……

图书在版编目（CIP）数据

外星人与UFO未解之谜 / 郑丽萍主编. — 北京：北京教育出版社，2017.1
（探索天下·学生版）
ISBN 978-7-5522-8094-4

Ⅰ.①外… Ⅱ.①郑… Ⅲ.①外星人－青少年读物②飞盘－青少年读物 Ⅳ.①Q693-49②V11-49

中国版本图书馆CIP数据核字（2016）第177455号

探索天下·学生版

外星人与UFO未解之谜

郑丽萍 / 主编

*

北京出版集团公司
北 京 教 育 出 版 社 出版

（北京北三环中路6号）

邮政编码：100120

网 址：www.bph.com.cn

北京出版集团公司总发行

全 国 各 地 书 店 经 销

北京画中画印刷有限公司印刷

*

710mm×1000mm 16开本 20印张 280千字

2017年1月第1版 2019年12月第4次印刷

ISBN 978-7-5522-8094-4

定价：49.50元

质量监督电话：（010）58572832 58572393

如有印装质量问题，由本社负责调换

目录

CONTENTS

第一章 失落文明中的地外猜想

一　历史遗迹中追寻外星人踪迹

二 与外星人有关的神秘印纹

第二章 亦真亦幻的外星人

一 你对外星人了解多少？

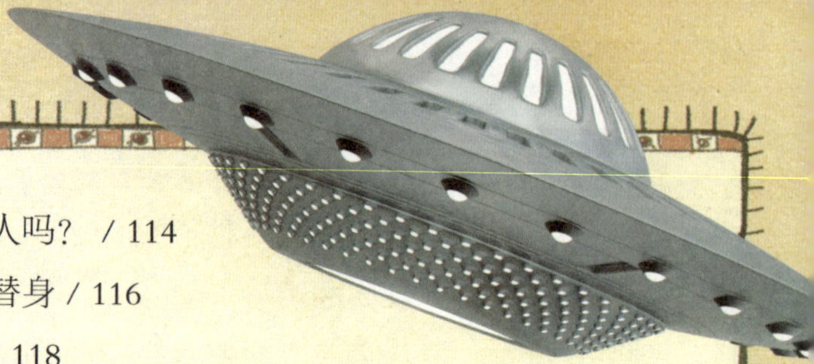

二　世界各地UFO事件大搜寻

第五章 人类探索外星文明的步伐

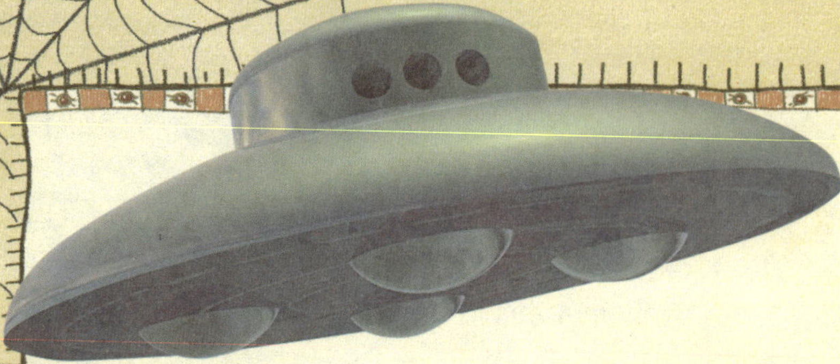

第一章

失落文明中的地外猜想

Shiluo Wenming Zhong De Di Wai Caixiang

一 历史遗迹中追寻外星人踪迹

古埃及金字塔中的重重谜团

提到古埃及金字塔你会想到什么？相信大多数人最先想到的一个词就是“神秘”。的确，围绕古埃及金字塔的迷雾一直没有散去。千百年来，无数的科学家和考古学家想要拨开这些迷雾，可越来越多的证据却将答案指向了一个不可能的方向——外星文明！

不可思议的“神”之力量

最早的古埃及金字塔建造于4700多年前，金字塔的建造是一个复杂而繁重的工程。以最大的胡夫金字塔为例，建造它需要230多万块巨石块，这些巨石块平均重约2.5吨。有人估计，如果将这座金字塔的石块铺成一条三分之一米宽的道路，可以绕地球一周；如果用火车装运，需要约60万节车厢。可是，考古学的研究表明，当时建造这座金字塔仅用了30年！在那个没有任何机械设备和搬运工具的年代，工人们到底是如何完成这项不可能完成的任务的呢？在埃及当地有一种传说：金字塔并不是人类的杰作，而是“神”赐予人类的礼物。越来越多的人也开始相信这个建筑奇迹依赖于一种神秘的力量——外星人。

埃及古建筑

匪夷所思的学术奇迹

胡夫金字塔本身就有太多的神秘色彩：

塔重 $\times 10^{15} \approx$ 地球的重量

塔高 $\times 10^{9} \approx$ 地球到太阳的距离

知识链接

古埃及国王也称法老，是古埃及最大的奴隶主，拥有至高无上的权力。他们被看作是神的化身。他们为自己修建了巨大的陵墓——金字塔，金字塔就成了法老权力的象征。因为这些巨大的陵墓外形似中国的汉字“金”，所以，我们将其称为“金字塔”。

塔基周长÷（塔高×2）≈圆周率

另外，穿过大金字塔的子午线把地球上的陆地、海洋分成相等的两半，金字塔塔基正好坐落在地球各大陆引力的中心。还有，地球两极的轴心指向天空的位置每天都在变化，经过25827年，绕天空一周，回到原来位置，而金字塔对角线之和，正好等于25826.6。

法老的诅咒：外星“核”在作怪

有关金字塔的神秘传说中，最出名的要数法老的诅咒了。相传进入金字塔的盗墓者都会神秘染病而死，很多人认为这是法老对盗墓者的诅咒。近年来，迈阿密贝利大学的化学教授达维多凡在金字塔中检验出了衰退的辐射线，很显然，这正是法老诅咒的真正“武器”。但是，令人惊奇的是，在金字塔外检测不到任何射线，由此可见，金字塔可以有效防止辐射线的外泄。这个发现也使得人们开始重新审视

金字塔的作用。它就像是一个核废料储存建筑一样将核辐射封存在里面，而这些核废料可能来自不为我们所知的外星文明。

新发现：来自火星的“近亲”

虽然对人类来说，金字塔是我们引以为傲的伟大建筑，但是，我们如果将目光放到整个宇宙，就会发现地球上的金字塔并不是独一无二的存在，其他星球上也有它的“近亲”。在美国“好奇”号火星车拍摄的照片中，人们发现了埃及金字塔的“孪生兄弟”，无论从比例、结构还是塔尖角度上，它都与埃及金字塔如出一辙，这或许不仅仅是巧合。数千年前，来自外星的“神力”也许不仅仅在地球上留下了印记。

直到今天，古埃及金字塔身上的重重谜团仍然让我们困惑不解，它到底是不是外星人赠予我们的礼物？至今仍未有定论。

玛雅文明与外星人的不解之缘

19世纪30年代，美国探险家斯蒂芬斯在洪都拉斯的热带雨林中发现了玛雅古文明遗址，自此，有史以来最具神秘色彩的古文明被揭开面纱，但是随着人们对玛雅遗址研究的不断深入，越来越多的人开始感到疑惑不解：“玛雅文明真的属于人类文明吗？”

超前的神秘文明

玛雅文明在公元前3世纪到10世纪达到鼎盛。当时玛雅人建造了数百座城市，人口达上千万，并且玛雅人在天文学、数学、农业、艺术及文字等方面都取得了极高的成就。要知道，当时与玛雅人同时期的其他人类都还处于半原始的生存状态，而玛雅人却已经独立创造出了远远超出那个时代的文明，这不得不说是一个奇迹。于是，一些学者大胆地提出了一种看法：玛雅文明其实是外星人的馈赠！

奇特历法背后的秘密

玛雅人使用的历法是一种特殊的宗教纪年法，叫作卓金历。在这种历法中，一年的周期为260天！然而，当时玛雅人已经精确地计算出了地球公转一周的时间为365天，玛雅人称之为太阳历，他们不使用太阳历纪年，依然固执地使用奇特的卓金历作为官方祭祀历法。因此，一些学者认为，这种奇特的历法其实是玛雅人故乡星球的历法，甚至有科学家推测出了适用于卓金历的星球的大致位置，他们惊讶地发现这个星球的气候条件同酷热的热带雨林极为相似，也许这正是外星人选择在热带雨林建立玛雅文明的原因之一。

废墟里惊现神似宇航员的雕刻

1952年，人们在墨西哥高原的玛雅古城帕伦克一处神殿的废墟里发掘出了一块装束奇怪的人像石板，当时人们仅仅把它当作是玛雅古代神话的雕刻。但是随着人类航空科技的不断发展，科学家们才发现这块石板上雕刻的人像与现代宇航员极为相似，更为神奇的是，宇航专家们还在这块石板上辨认出了类似现代宇宙飞船的装置，其中排气管、操纵杆、方向杆甚至各种仪表一应俱全！这个证据进一步表明了玛雅人可能同天外来客之间有着某种神秘联系。

知识链接

末世论是没有科学依据的，比如1844年末世论、1998年末世论、2012年末世论。很多末世论都是从西方传播开来的。据说，2012年末世论来自玛雅历法，但危地马拉印第安玛雅领导人辟谣说，玛雅历法的意思是，2012年仅仅意味着旧纪年的结束、新纪年的开始罢了，并不代表世界末日。

哥斯达黎加巨型石球

你有没有想过外星人玩的玩具会是什么样子的呢？在拉丁美洲的哥斯达黎加就有一些奇特的巨型石球，这些石球被人们称作“外星人的玩具”，这并不仅仅是一个玩笑，许多研究表明，这些石球和外星人之间的确有着说不清道不明的关系。

巨人的“弹珠”

哥斯达黎加石球已成为哥斯达黎加文化的象征。这些石球是20世纪30年代末在哥斯达黎加南部的底基斯三角洲被发现的。目前，已有300多颗被发现。这些石球体形十分巨大，最大的直径有数十米，几乎有半个足球场那么大，即使小的直径也足足有2米。石球圆浑匀称，石面光滑，它们散落在山谷中，它们有些排列成弯曲的弧线，有些则排成了笔直的直线。从山顶上望下去，它们就像是巨人散落一地的玩具。

不可思议的制作工艺

自从石球被发现之后，许多科学家和考古学家都前往哥斯达黎加一探究竟，想要解开这些神秘石球背后的秘密。根据考古年代测定，这些石球出现于数千年前。但是，科学家们对它们进行精密测量后却发现，这些石球仿佛是复制出来的一般，不论大小，它们表面各点的曲率几乎完全一样，直径误差小于0.01，仅靠手工无法达到这样的精度！更奇怪的是，这些石球都是用花岗岩制作而成的，但是在石球所在地附近并没有花岗岩石料。那么究竟是谁制造出这些奇特的石球呢？一些学者推测这些石球可能不是人类制作的。

天外来客的传说

从当地印第安人的古老传说中，我们似乎能够探得一些有关石球的秘密。传说曾经有天上来的客人乘坐着球形的交通工具来到了此地并且留下了巨大的石球，同时这些天外来客将石球按照特定的排列规律进行排列，用它们模拟出了自己家乡的形象。这个传说同之前人们的推测不谋而合，越来越多的人认为这些石球是外星人制作并且排列的，大小石球共同组成了一个迷你的星际地图，科学家们根据巨石球组成的图案来寻找宇宙中与其相对应的星系，但是迄今为止还没有明确的进展。

随着人类对宇宙探索的不断深入，更多的星系也为人类所发现。也许在未来的某一天，我们会在茫茫宇宙中发现石球真正的主人，从而揭开隐藏数千年的秘密。

英国的巨石阵之谜

在英国威尔特郡索尔兹伯里平原上有一个著名的史前遗址——巨石阵，它是由许多重约25吨的石柱所组成的一个环形建筑。从表面上看，这个建筑似乎是远古时期人们祭祀的场所，但是越来越多的发现表明，巨石阵的真正用途并没有这么简单。

高科技的史前天文台

20世纪初，英国的一名天文学家无意间发现了巨石阵里隐藏的秘密。他发现：如果站在巨石阵的中央观察，那么第93号石头正好指向立夏和立秋这两天日落的位置，第91号石头则正好指向立春和立冬这两天日出的位置。在这一研究的基础上，越来越多的科学家发现了巨石阵的天文学意义。20世纪60年代初，一位名叫纽汉的学者发现巨石阵中的91、92、93、94号石头组成了一个矩形，矩形的长边指示月出的最南端和月落的最北端。后来，英国的一位天文学家霍金斯用计算机进行了大量计算后发现，它甚至可以用来预测月食。这些发现表明，巨石阵并不仅仅是一个祭祀的场所，还是一个精密的天文台，但这也带来了另一个问题，在巨石阵形成的年代，人们并没有如此丰富的天文学知识，那么他们又是如何建造出如此“高科技”的天文台的呢？

超时代的太空联络站

伦敦皇家艺术学院的研究团队也发现了巨石阵的一些神秘之处，他们发现巨石阵的石头有着特殊的音质，如果用槌子进行敲击，这些石头能够发出高频的声音。更为神奇的是，建筑学家们发现巨石阵的建造者对每一块巨石的位置都进行了精密的计算，从而形成了特殊的回声装置，因此当敲击巨石时，回声会在1.2秒后才消失。而这种特殊的回声装置正是现在美国科学家通过高频声音同外太空进行联系时所使用的，数千年前的人为何会有这种超时代的联络方式呢？

影视档案馆

《巨石阵灾劫》讲述了一群考古学家在巨石堆历史纪念碑附近挖出一具木乃伊时，一个潜藏在岩床下的远古机器部件也被发现了。毫不知情的工人们偶然间触动了一个机关，于是发生了一连串终结世界的事件。

惊现天外来客

巨石阵的重重谜团似乎都显示出它同外太空有着某种联系，而近年来外星人光临的传闻更是为巨石阵增添了一份神秘色彩。2007年至2009年，关于巨石阵天外来客的离奇报道一直未断，因此有人认为，巨石阵就是外星人留在地球上的联络站。

巨石阵的真相到底如何呢？我们依然不得而知。

比米尼大墙是外星人所建吗？

在巴哈马群岛的海洋下，隐藏着一个庞大的水下建筑群。它有着错落有致的房屋、整齐的街道、宏伟的堤坝，而其中最引人注目的是一堵长达1600米的巨大石墙，这就是著名的比米尼大墙。究竟是谁在水下修建了这座惊人的建筑呢?

水面下的奇迹

1967年，一位叫作罗伯特·布拉什的飞行员在飞越巴哈马群岛中的比米尼岛时，无意间发现在水面下有一个巨大的灰色物体。消息传出之后，耶鲁大学的教授、美洲文化专家曼森·瓦伦丁立刻组织了一支探险队前往巴哈马群岛，探险队在比米尼岛的上方进行搜寻。没多久，他们就发现了这堵巨大的石墙。探险队员们发现，这堵大墙由长约5米，高约3米，厚0.5米到1.5米的巨大石块组成。据估计，每块石块的重量足足有25吨！更令人惊叹的是，这些巨大的石块是用一种类似水泥的物质黏合起来的，这个发现震惊了全世界，自此，这个奇迹般的建筑被人们称为“比米尼大墙”。

比米尼大墙从何而来

神秘的比米尼大墙到底是如何形成的呢？最初，一些科学家认为，比米尼大墙是岩石受到海水侵袭而形成的一种自然现象，并非人为产物，但是这个推测很快就遭到了质疑。比米尼大墙由大小均匀的巨大石块组成，石块间类似水泥的黏合剂也证明了它是有人刻意修建的。更重要的是，不久之后，探险家们就在比米尼大墙附近发现了一个庞大的建筑群，这进一步说明了比米尼大墙并非自然形成的。

不可思议的史前建筑

比米尼大墙被发现后，越来越多的探险家前往比米尼岛进行考察，人们在比米尼大墙附近发现了更多惊人的建筑：房屋、城墙、街道、堤坝、码头……这些建筑构造精巧，结构严密，看上去就像是一个沉在海底的王国。在这个建筑群中，探险家们发现了许多长10米的四方形柱子，这些柱子并不是用石头制成的，看上去更像是一种金属材料，但是没有人知道其组成成分是什么。

扑朔迷离的史前文明

到底是谁修建了这座奇幻的海底王国呢？为了寻找答案，科学家们对这座神秘的海底建筑群进行了研究，结果表明它们至少已经有12000年的历史，这说明比米尼大墙和神秘的海底建筑群诞生于遥远的史前时代。一些科学家认为，比米尼大墙及其附近的建筑群是史前文明的见证。他们认为，在10000多年前，巴哈马群岛附近曾出现过高度发达的史前文明，后来由于某种不为人知的原因，这种文明神秘地消失了。更有人推测，这种神秘的史前文明可能就是传说中的亚特兰蒂斯。也有人认为，比米尼大墙并非人类所建，它是外星文明在地球上留下的建筑，而传说中神秘的史前文明正是外星文明。

比米尼大墙究竟是谁修建的呢？这座沉在海底的奇幻王国的主人是谁呢？谜题仍未揭开。

神秘的阿尔卡伊姆古城

俄罗斯有一座奇特的古城，这里曾拥有过不可思议的古代文明；这里曾出现过很多无法解释的神秘现象；这里也曾被誉为世界上最神秘的地方之一。这就是位于俄罗斯车里雅宾斯克州的阿尔卡伊姆古城。

阿尔卡伊姆古城复原图

无意间发现的古城遗址

1987年，苏联政府打算在阿尔卡伊姆盆地修建一个大型水库。在施工的过程中，工人们无意间发现了一座奇怪的圆形建筑。考古学家们立刻对这座建筑进行了挖掘，结果发现这是一个庞大的建筑群！阿尔卡伊姆古城的建筑群由两层环形建筑组成，建筑群的中央有一个方形的广场，若是从空中看，它就像是一个由圆环组成的巨大同心圆。考古学家们通过研究表明，阿尔卡伊姆古城遗迹距今已有4000多年的历史，它出现的年代甚至比古罗马还要早。

不可思议的文明

更令考古学家们惊讶的是，阿尔卡伊姆古城的设计极为精巧。阿尔卡伊姆古城中拥有先进的排水系统，每一座住宅下都有排水设施，而城中还有专门修建的暴雨排水沟，这个设计保证了古城不会受到水患的影响。同时，在古城的水井处还有两条构思巧妙的通风管道，其中一条通往用于储藏食物的储藏室，这条管道可以将水井中的凉风吹往储藏室，以保证储藏室的温度不会过高；另一条通风管道则通向炉灶之中，为炉火提供足够的风力。为何4000多年前的古城中会有如此现代化的构造呢？考古学家们认为，这里可能出现过一个不为人知的文明，他们将其称为阿尔卡伊姆文明。

无法解释的谜团

为了探寻神秘的阿尔卡伊姆文明的真相，考古学家们对阿尔卡伊姆古城进行了进一步的考察。在考察中，考古学家们发现古城和天文学之间有着千丝万缕的联系。在俄语中，阿尔卡伊姆的含义是“天地”，代表天神和人类相聚的地方。考古学家们还发现，阿尔卡伊姆古城的外观和现代的天文台十分相似，而古城周围的石块整齐地摆放成了直线，就像现代飞机场的飞机降落指示标一样。更令人惊讶的是，在阿尔卡伊姆古城中，指针会失灵，心脏跳动的频率、人的血压和体温都会发生突变，地球的电磁场也会莫名其妙地降低，空气的温度在5分钟内会忽然上升或下降5摄氏度。

阿尔卡伊姆古城是UFO基地吗

阿尔卡伊姆古城的神秘现象要如何解释呢？4000多年前的超高文明又从何而来呢？有人推测，阿尔卡伊姆古城是外星人的UFO基地。数千年前，外星人来到地球，在阿尔卡伊姆盆地里修建了这座基地，以便于他们在此处进行天文观测。这个推测解释了为何数千年前的古城会拥有现代化的排水系统，也解释了阿尔卡伊姆古城和天文学之间的神秘联系，但这仅仅是一个推测，没有人知道，在4000多年前究竟是谁修建了这座传奇的建筑。

影视档案馆

《异形基地》是美国拍摄的科幻电影。电影中，外星生物在人们熟睡时入侵了人类的身体和大脑，企图借此控制军事基地，毁灭人类。发现了外星生物阴谋的主人公和外星生物展开了殊死搏斗。

南美大隧道之谜

1965年，阿根廷的一位考古学家胡安·莫里茨在厄瓜多尔意外地发现了一条隐秘的史前隧道，这条大隧道带我们进入了一个神秘莫测的地下世界。这条长达数千千米的隧道里不仅埋藏着数不清的稀世奇珍，还有许多无人可解的惊天秘密。

重见天日的纯金动物

这条位于南美洲的隧道有数千千米长，隧道里的建筑工艺十分现代化，它的墙壁光滑平整，为了防潮防霉还涂有一层特殊的釉。隧道里有各式各样的古代遗物，其中最引人注目的要数纯金制作的动物模型了，这些模型囊括了大部分我们所熟悉的动物，如蜥蜴、狮子、骆驼、螃蟹、蜗牛、鳄鱼、狼、野牛、大象、豹子等，大小动物一应俱全，就像是一个小型的动物园。但是令人疑惑的是，其中许多动物并不产于南美洲，如大象、狮子、骆驼等。那么到底是谁制作了这些活灵活现的动物模型呢？又是谁将它们放置在了隧道中呢？

居然还有恐龙

更令人瞠目结舌的是，在隧道里人们还发现了一块刻有恐龙的石板！要知道早在人类出现以前恐龙就已经灭绝了，而我们目前对于恐龙的认识也都是从考古学家和古生物学家对恐龙化石的研究中得来的。但是隧道里的恐龙雕刻却显示，早在数千年前，隧道的建设者们对恐龙的认识已经和我们不相上下，这不得不让人怀疑隧道主人的身份。

“穿越”的护身符

在隧道里，科学家们还发现了一个用石头制作的护身符，护身符上是一个小孩站在圆形的球体上，一手握着太阳，一手握着月亮。这个发现似乎揭开了隧道秘密的冰山一角。要知道，人类在16世纪才发现地球是个球体，因此有学者认为，这预示着隧道的修建者可能来自外太空，因为，他们对地球和宇宙的认识远远超出了当时的认知水平。

匪夷所思的史前飞机

最让我们震惊的是，在隧道里人们还发现了一个现代化的飞机模型。它具有流线型的机身，几何形的机翼，甚至连驾驶舱都有防风玻璃，乍一看和美国的轰炸机还有几分相似。有人认为这个模型正是外星人曾经在此地出现的证据。

影视档案馆

《第五元素》是1997年由著名导演吕克·贝松所执导的科幻电影。故事发生在2259年，一股邪恶的外星势力想要统治地球，在另一批善良的外星人的帮助下，人类终于获得了胜利。

在隧道的珍宝中，还有一本用金属板制作的书，书里的文字和现存任何一种文字都不相同。也许等我们破译了这些文字时，才能真正揭开南美大隧道的谜团。

轰炸机

摩亨佐·达罗古城毁灭之谜

一座极尽繁华的城市在一夜之间被一股神秘力量摧毁，变成了一座“死城”，数千年来人们始终无法解开这个谜，所有遗留的证据似乎都指向了一种未知的神秘力量……虽然听上去像是科幻电影里的情节，但这正是“死者之丘”摩亨佐·达罗留下的重重谜团。

5000多年前的现代城市

在印度河流域，曾经有一座繁华的“大都会”，它就是建于5000多年前的摩亨佐·达罗古城。摩亨佐·达罗古城的城市规划极其先进，最令建筑学家们惊讶的是，这座建于数千年前的古城里已经拥有了可与现代人相媲美的供水和排污系统，几乎每家每户都有浴室和厕所，十分先进，所以人们也将其称作“青铜时代的曼哈顿”。

突如其来的毁灭

公元前18世纪，突如其来的灾难降临到了摩亨佐·达罗古城，几乎在一夜之间，城内的建筑遭到了毁灭性的破坏，城中的男女老少无一幸免，全都失去了生命。当后世的人们重新发现这座古城时，它已经变成了一片废墟，城内到处是爆炸和燃烧的遗迹，街头巷尾都是四散零落的尸骨，“死者之丘”自此得名。可是令人疑惑的是，到底是谁有如此大的能力，能够将一座城市瞬间摧毁呢？

> **影视档案馆**
>
> 《洛杉矶之战》是2011年由乔纳森·理贝斯曼执导的动作科幻电影。电影讲述了一个海军陆战队在洛杉矶街头与外星入侵者进行巷战的故事。外星入侵者企图铲除人类，接管地球的水资源，洛杉矶是最后一道防线，面对外星入侵者的侵略，海军陆战队突围反击，最终挽救了人类。

藏在史诗里的“核爆炸”

在古印度最著名的两部史诗《摩呵婆罗多》和《罗摩衍

那》里有关于摩亨佐·达罗古城毁灭之谜的记载："空中响起震耳欲聋的轰鸣……南面的天空有一道火柱冲天而起……突如其来的天火烧毁了一切……"令人震惊的是，这个描述同日本核爆炸目击者的说法极为相似，这仅仅是一个巧合吗？有科学家对摩亨佐·达罗古城的废墟进行了探测，结果发现地面上果然留有核辐射和核爆炸冲击波的痕迹，但是又是谁在几千年前就拥有了"核武器"并摧毁了古城呢？

带来毁灭的宇宙飞船

英国学者捷文鲍尔特和意大利学者钦吉推测，摧毁摩亨佐·达罗古城的很可能是来自于外星的智慧生物，他们掌握核技术的时间远远早于人类，并将核动力用在了宇宙飞船上，当外星人乘坐的宇宙飞船经过印度河上空时，突如其来的故障引发了爆炸，从而造成了摩亨佐·达罗古城的毁灭。但这仅仅是一个推测，真相也许永远隐藏在了"死者之丘"里。

三星堆遗址是外星文明吗？

在我国发掘的古文化遗址中，最为神秘的要数位于四川广汉的三星堆遗址了。自其面世以来，有关三星堆和其他古文明，甚至外星文明之间的神秘联系一直被人们谈论着。

造型诡异的青铜雕像

在四川广汉的平原上，有三个突兀的黄土堆，这就是闻名中外的三星堆遗址。这里出土了许多的稀世珍宝，其中最令世界各地考古学家感兴趣的是一批奇特的青铜制品，如青铜立人像、青铜面具、青铜神树等。雕像中的人物造型极其诡异，它们体形巨大，硕大的眼球突出出来，双耳造型各异，有些巨大无比，有些则像是动物的耳朵，同时大大的嘴巴一直咧到了耳边，露出诡异的微笑，平添了几分神秘。同世界各地出土的雕像不同，三星堆的青铜雕像不仅不像当地人，甚至根本不像是地球人，也正因为如此，许多人推测这些雕像可

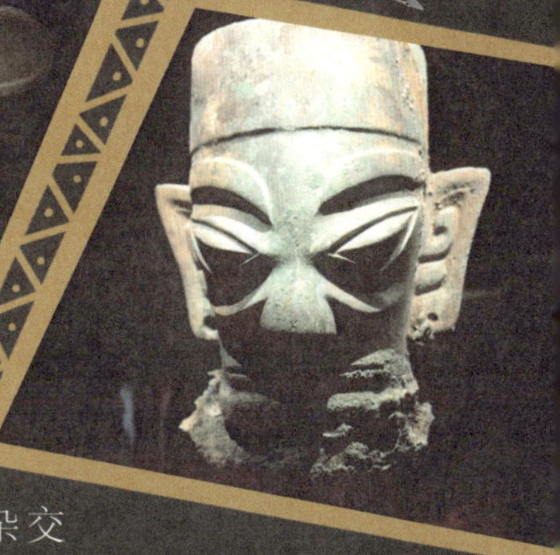

能是天外来客的模样，还有一些人认为三星堆文明可能是地球人和外星人之间的杂交文明。

远渡重洋的海贝之谜

在三星堆遗址中，考古学家们还发现了5000多枚海贝！这个发现令考古学家们激动不已，即使是现在，在远离大海的四川平原上也很难见到数量如此庞大的海贝，更不用说数千年前了。进一步的研究更是令人瞠目结舌：这些海贝并非来自中国的近海，而是来自遥远的印度洋。当时的人们是如何得到这些海贝的呢？这背后的神秘力量不禁令人好奇。

神秘的北纬30度

最神奇的是，中国的三星堆文明与神秘的玛雅文明、古埃及文明之间似乎有着千丝万缕的联系。在三星堆出土的金杖上，人们发现了一些奇特的图案，这些奇特的图案与古埃及、古玛雅出土的文物上的图案十分相似。更为巧合的是，这三个富有神秘色彩的古文明都位于北纬30度，它们几乎在同一时期开始兴盛，又在同一时期神秘地消失了。基于这些巧合，有人提出了一个大胆的猜测：这些文明全都与外星文明有关。数千年前，一群外星人因飞船故障或其他的原因来到了地球，他们居住在北纬30度附近，创造出了灿烂的文明，待离开的条件成熟后，他们便结伴离去，只留下了古老的遗址和神秘的传说。

蒂华纳科城太阳门之谜

在拉丁美洲，有一座叫作蒂华纳科的古城，在这里有一座特殊的建筑——太阳门。每年的9月21日，当太阳初升时，它的第一缕阳光都会从太阳门的正中央穿过，洒在古城的建筑遗址上。藏在这个奇特景象背后的，是蒂华纳科古文明的秘密。

高原上的外星景象

蒂华纳科古城修建在一个远离人烟、海拔4000米的高原上，这里的气压很低，空气也较为稀薄，即使玻利维亚当地人也无法完全适应这样的环境。在这满目荒凉的高原上，孤零零地矗立着太阳门遗址，太阳门修建得极为精巧别致，同周围的荒凉景象形成了鲜明的对比。一些人甚至认为，这个高原上的奇景看起来不像我们熟悉的地球上的场景，倒有几分像外星球上的景象。

是谁修建了太阳门

最令人们感到好奇的是，太阳门是谁修建的。研究表明，太阳门修建于1000多年前，当时玻利维亚当地的土著居民还处于靠捕鱼和狩猎为生的原始阶段，不可能完成如此浩大的工程，那么到底是谁在如此不适合人类生存的高原上修建了神奇的太阳门，创造了光的奇迹呢？

太阳门上的神秘图案

太阳门上雕刻着许多花纹错综复杂的方形图案，若是仔细辨认，你就会发现，这些图案都大同小异，它们描述的都是同一个场景：一些身上长有翅膀的勇士正毕恭毕敬地面对着正中央的天神。依据考古学的经验，建筑上的雕刻通常会与当地流传的传说相对应，但是人们在玻利维亚当地的神话传说中并没有找到与此图案相关的描述，因此一些学者认为这些图案记录的并不是人类的传奇，而是太阳门修建之时的场景，而图案中奇特的带翅膀的人正是负责修建太阳门的外星人。

石像上的宇宙星空

众多证据表明，太阳门的修建者对宇宙星空非常痴迷，为了观测星空，他们甚至在太阳门周围专门修建了一座巨大的天文台。同时，在蒂华纳科城的遗址中，还散落着一些奇形怪状的石像。有人认为，石像上的符号代表的正是宇宙中的浩瀚星空。有人推测，这些遗迹表达了修建太阳门的外星人对故乡的怀念。

神秘的复活节岛

在东南太平洋上距离智利海岸3700千米的地方，有一座被称为“神秘岛”的小岛，岛上有让人啧啧称奇的巨大石像，有刻有神秘文字的木板，还有许多离奇的传说，这座神秘之岛正是位于南太平洋上的复活节岛。

巨型石像从何而来

在复活节岛上，最引人注目的要数近千尊巨大的人形石像了。这些石像体形巨大，一般高约3米到6米，重达数十吨！巨石像拥有巨大的呈长方形的头，长长的耳朵，高耸的鼻子，表情冷峻，神态威严。远远看去，就像是守护小岛的巨人一般，十分壮观。考古学家们经研究发现，这些石像大约雕刻于690—1680年间。但是，令人不解的是，在劳动力和工具都十分匮乏的时代，人们是如何将重达数十吨的巨石运到此地，并且进行雕刻的呢？有科学家推算，如果按照当时的技术条件，仅仅是雕刻一尊巨石像，也需要数十名工匠整整工作好几年，若单纯依靠人力完成这近千尊石像，几乎是不可能的事！因此，有人推

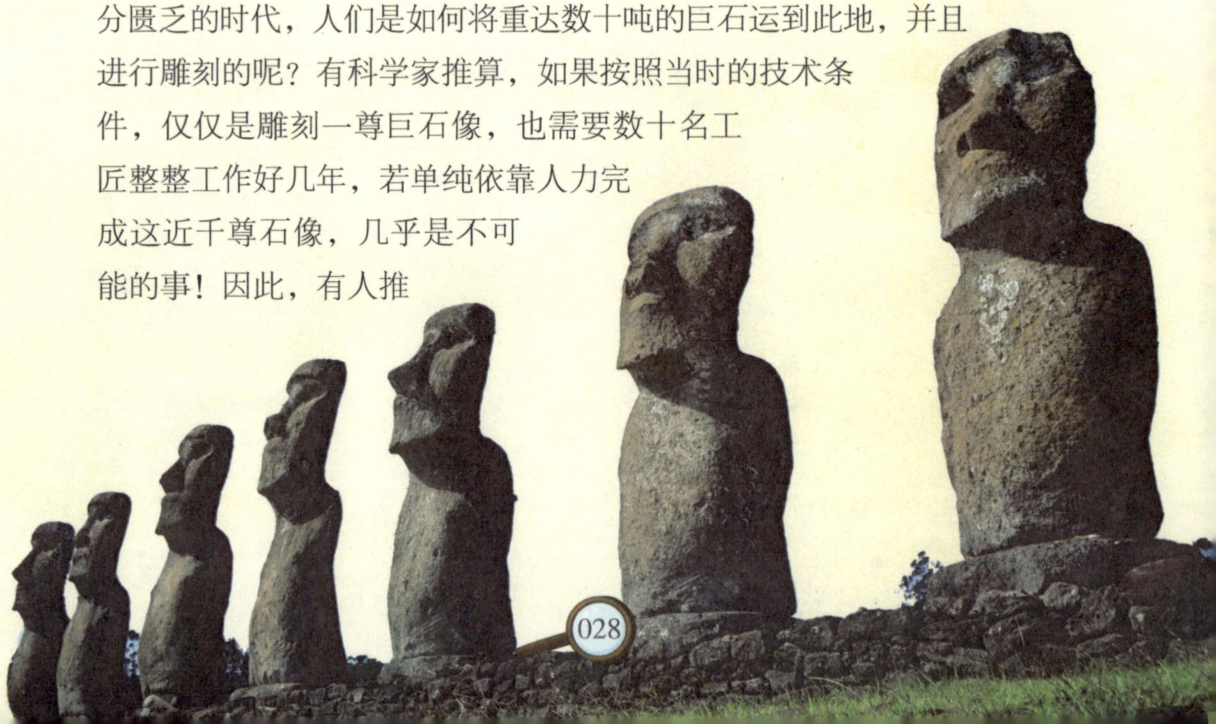

测，这些石像可能是天外来客的杰作，只有他们才可能轻而易举地创作出这样惊人的作品。

朗戈朗戈木板之谜

除了巨大的石像外，复活节岛上还有一种神秘的“会说话的木板”，这种木板被当地人叫作朗戈朗戈木板。木板上雕刻着许多奇怪的文字和图案，木板上的图案中有我们熟悉的小鱼、小船、青蛙、乌龟等，也有一些奇特的“人”的画像，这些人有些长着翅膀，有些长着两个头，着实让人称奇。更让人们疑惑的是，考古学家们普遍认为，木板上这些深奥的文字中藏着复活节岛的秘密，为了搞清这些文字的含义，考古学家们几乎尝试了所有的破解方法，但最终还是一无所获。在研究中，考古学家们发现，这些文字不属于任何一种古代文字体系，是一种独立的古文字，这似乎预示着，在复活节岛上，曾经有一种奇特的文明横空出世，但这个文明究竟从何而来呢？

神秘的“世界肚脐”

在复活节岛上，居民们对小岛有许多称呼，其中有一个祖传下来的称呼叫作拉

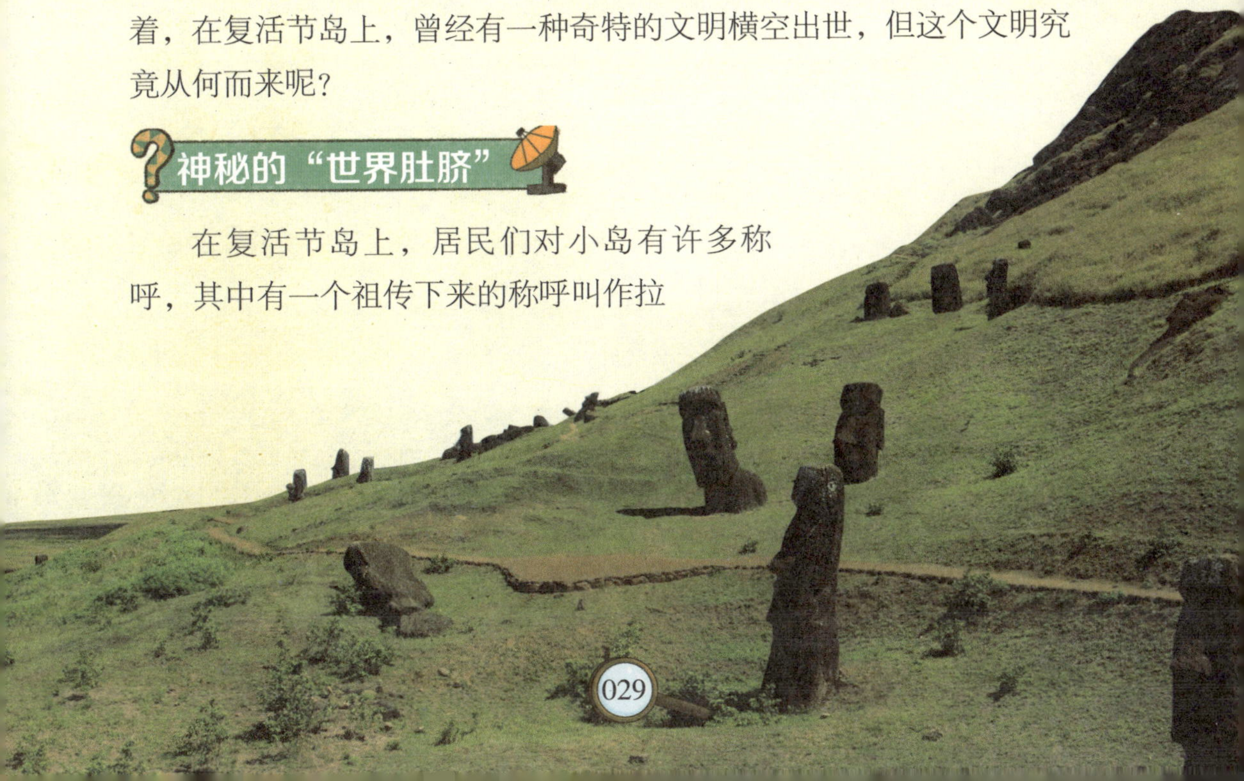

帕努伊，波利尼西亚语意为“世界肚脐”。为了搞清这个名称背后的含义，许多学者在当地进行了探访，但是岛上的居民却只知道这个名字是世世代代流传下来的，至于它真正的含义，却让人百思不得其解。直到有一个飞行员在飞越太平洋时才无意间发现了这个名称的意义：复活节岛孤零零地矗立在太平洋中间，若是从高空中看去，就像是一个小小的肚脐一般。这个发现让人们浮想联翩，难道在遥远的古代就有人从空中俯瞰地球，并且给复活节岛起了这个贴切的名字吗？那他是用什么方法飞到高空去的呢？这个名字会不会是外星人的杰作呢？

复活节岛的秘密吸引着成千上万的游客，他们从世界各地来到这个神秘的小岛，期待着能在岛上找到真相！

影视档案馆

《复活节岛上失落的众神》是英国拍摄的纪录片。片中的主人公无意间得到了复活节岛的石刻雕像，为了鉴别其真伪和身份，他辗转于世界各大博物馆和复活节岛之间，由此牵扯出一连串有关复活节岛的谜团。

“众神之城”特奥蒂瓦坎

特奥蒂瓦坎古城位于墨西哥首都墨西哥城的东北方向，在当地的语言中，“特奥蒂瓦坎”的意思是“众神之城”。在这座古城里，有许多无法解释的谜团，这些谜团不禁让人怀疑：“究竟是谁修建了这座神秘的古城？”

壮观的“众神之城”

特奥蒂瓦坎古城是拉丁美洲规模最大的古城遗址，其占地面积超过了20平方千米。据考古学家估计，这座古城距今已有2000多年的历史。在古城中，最引人注目的是气势恢宏的太阳金字塔，塔的基址长225米，宽222米塔，高66米，是世界第三大金字塔。修建太阳金字塔是一个庞大的工程，然而，2000多年前，特奥蒂瓦坎人并未掌握炼铁技能，工具也十分落

后，光是修建这座金字塔就需要很多年，更何况在特奥蒂瓦坎古城中，除了太阳金字塔，还有许多壮观的建筑。在劳动力与工具都匮乏的古代，要修建如此庞大的建筑群似乎是一件不可能的事。

不可思议的云母神殿

在太阳金字塔的西侧，考古学家们还发现了一个奇特的地窖，这个地窖中的地板下铺着两层厚厚的云母片，考古学家们将这个地窖称为“云母神殿”。神殿中云母片的厚度均为0.15米，每片大小约为8平方米，看上去就像是精心切割的云母地砖一般。这个发现让考古学家们颇感疑惑，为何修建者要将这些云母片铺在地板下呢？更奇怪的是，进一步的研究表明，这些云母片均产自数千千米以外的巴西。数千年前，究竟是谁从数千千米之外将如此之多的云母片运到特奥蒂瓦坎古城的呢？

亡灵大道是太阳系的平面图吗

在特奥蒂瓦坎古城的中央，有一条长约3千米的大道，人们将其称为亡灵大道。在亡灵大道的两边，错落有致地分布着许多建筑。有学者对特奥蒂瓦坎古城和亡灵大道的布局进行了研究，结果发现亡灵大道上建筑的分布距离竟然是太阳系的几大行星之间的距离的缩影，若是从空中观看，亡灵大道就像是太阳系轨道的平面图一般。许多人认为，这不仅仅是一个巧合，这说明特奥蒂瓦坎古城的修建者有着极丰富的天文学知识！

传说中的羽蛇神是外星人吗

在特奥蒂瓦坎古城中，还有一座羽蛇神庙。在当地的传说中，羽蛇神是一种来自上天的善良神灵，这种神灵的长相和蛇有几分相似，但是身上却长满了羽毛。传说羽蛇神从天而降，到达特奥蒂瓦坎地区后，他将自己的知识传授给了人类，并帮助人类创造了文明，随后又返回了星空之中。依据这个传说，有人推测羽蛇神正是特奥蒂瓦坎古城中神秘文明的来源，而羽蛇神并非虚无缥缈的神灵，而是一个来自宇宙的外星人，他在地球上生活了一段时间，帮助当地人修建了壮观的特奥蒂瓦坎古城，并且将太阳系的平面图藏在了古城的建筑中。

特奥蒂瓦坎古城和外星人有关吗？气势恢宏的太阳金字塔是如何建造而成的呢？云母神殿地板下的云母又有何用途呢？为何古城的建筑方位和太阳系的轨道不谋而合呢？谜团永远地留在了充满好奇心的人的心中。

羽蛇神雕像

西域草原上的神秘遗迹
——神秘的黑色石人

在我国新疆阿尔泰山脉的草原上，矗立着许多形态各异的石人。这些石人已有数千年的历史，它们日日夜夜地守护着面前的草原，也守护着它们背后的秘密，其中那些用黑色石头雕成的石人更充满了神秘色彩。

是金属还是石头

你若是去草原上参观这些黑色石人，当地的居民就会热心地为你送上一个铁锤，你用铁锤轻轻敲击石头，它们会发出悦耳的叮咚声来。这种特性是不是听上去和金属很相似呢？在当地的传说中，这些石头本就是从天而降的金属陨石，所以它们才会有如此神奇的特性。为了搞清这些黑色石头的秘密，专家们对其进行了分析，结果表明这些石头中含有极高的金属成分，至于它们到底从何而来，是不是像当地传说中的那样从天而降，谁也不能给出肯定的答案。

奇特石人到底是谁留下的

对考古学家们来说，最让他们困惑的除了石头的材质，还有石头上雕刻的石人像。最初，考古学家们认为这些石人可能是当地的古突厥人所留，但是进一步的研究表明，这些黑色石人和古突厥留下的石人并不相似，它们圆圆的头顶上没有任何头发和装饰，看上去十分突兀。那么这些黑色石人到底是何人所留呢？

知识链接

外星人威胁论是20世纪70年代诺贝尔物理学奖得主英国天文学家马丁·赖尔提出的理论，他主张人类不应主动与外星人联系，否则可能会招来杀身之祸。

神秘符号的意义

除了石像，一些黑色石头上还留有神秘的符号，大多数符号都十分抽象，并且与当地的古文字截然不同，至今还不能为人所辨识。此外，一些石头上还雕刻着奇特的鹿形图案，这些鹿的嘴都被拉成细长的形状，就像是鸟嘴一般，令人匪夷所思。

一个大胆的猜想

针对草原上黑色石人的疑团，新疆博物馆的一位年轻研究员提出了一个大胆的推测，他认为奇特的黑色石人和石头上的图案都是古人对外星人的记录。这些黑色石人所刻画的正是外星人的形象，而石头上的图案则是对外星人降临地球的记录，例如，奇特的鹿形图案描述的正是鹿群被外星飞船吸向天空的场景，因此鹿嘴才会变得又细又长。同时，这位研究员还提出了另一个证据：若是从空中看，这些黑色的石人组成的图案与神秘的麦田怪圈极为相似。这也许说明这些来历不明的黑色石人正是外来文明的产物。

黑色石人到底从何而来呢？它们是不是同外来文明有关呢？目前，还没有人能够解答这些疑问。

法国的卡纳克石阵

法国布列塔尼半岛上有一个神秘的地方，那里存在着一片神奇的石阵，石柱高高地耸立在一片庄稼地中。据初步估计，其中最重的石头能达350吨，这些石柱是怎么立起来的？又有什么用途？……种种谜团，人们至今还难以解开。

不可思议的建筑奇迹

卡纳克石阵散布于庄稼、树林和农舍之中。卡纳克石阵曾经有10000根石柱，如今仅存约3000根。石柱的排列井然有序，似乎是精心营造的。石柱排列以直线为主，也有排成平行曲线的。石柱中最大的重约350吨，高达20米。要想建造如此巨大的石建筑，就必须有石材，而石阵所在地并没有岩石资源，所有石柱必须从数千米外的岩山甚至更远的地方取材。新石器时代，人类最先进的搬运工具无非是绳索、滚轴、杠杆等，操作方法无非是推、拉、滚，或利用土坡下滑。但无论采用什么工具，采取什么操作方法要把数吨甚至数十吨重的巨石搬运数千米甚至数十千米

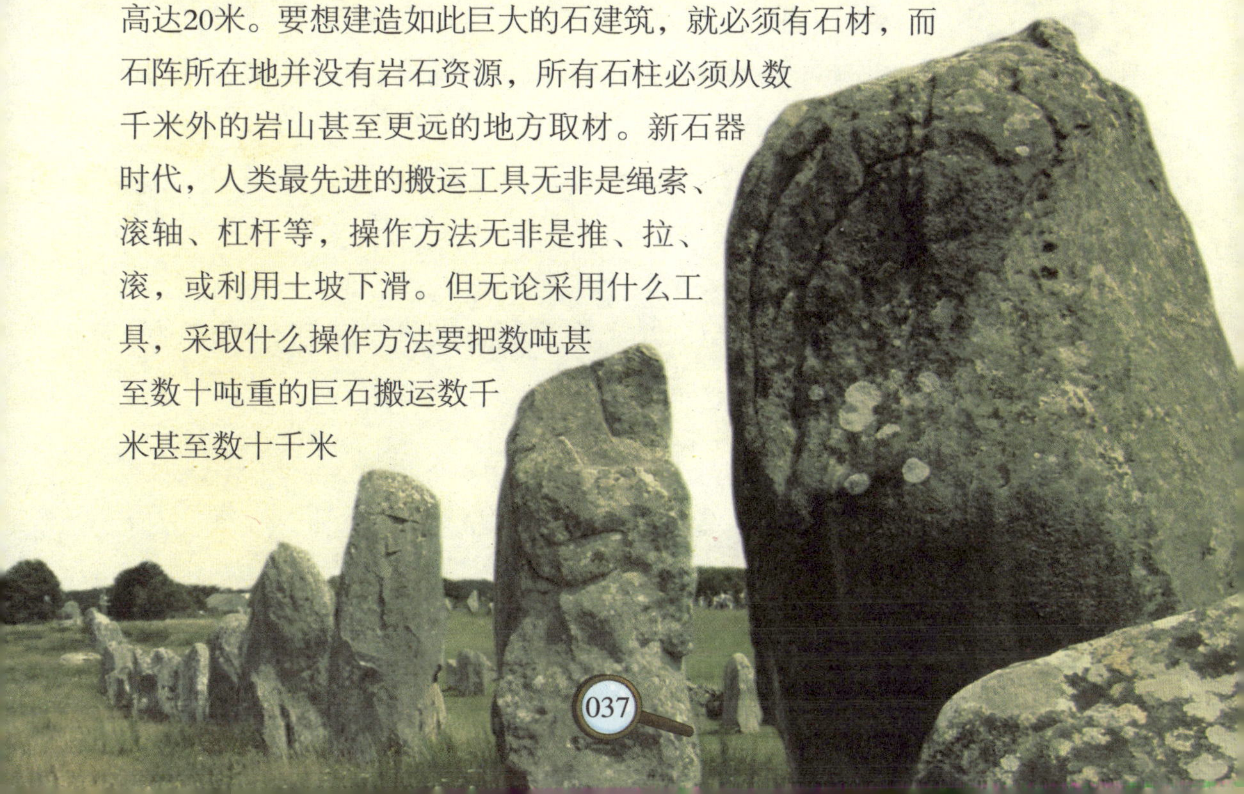

都不是一件容易的事更何况要搬运成千上万块巨石。把这么多的巨石搬到卡纳克，凿平磨光，再把它们竖立起来，组成石阵，完全依靠人力是办不到的，那么它靠的是什么“神”力呢？有人推测，帮助人类建造如此巨大的工程的神秘力量可能来自外星人，只有外星人才能轻而易举地创作出这样惊人的作品。

众说纷纭的用途之谜

卡纳克石阵的用途究竟是什么，历来众说纷纭。有人认为这些石柱是祭祀场地的遗迹，而地质学家汤姆博士认为巨石的竖立者想借此研究天体的运行，包括太阳、其他行星和卫星等，尤其是月球的运行，或以此作为巨大的天文钟，以便推算耕种的时间。20世纪70年代中期，英国人亚历山大·汤姆对每一根石柱进行测量，并宣布他的惊人发现：石阵是一个复杂的月亮观望台。他说，古代天文学家每天在观测月亮时，随着月亮的出没不断变换自己的观察位置，每一次都在新的地方竖起一根石柱作为标记，用这种方法，他们掌握了月亮盈亏周期以及其他一些天文知识。20世纪80年代初，英法考古学家组成联合考察组，在卡纳克对汤姆的学说进行了考察。结果表明，石柱的排列次序与月亮的出没规律并没有什么相似之处，石器时代的人类并不具有这种高超的智慧。一些从事UFO研究的学者提出大胆猜测：卡纳克石阵是外星人访问地球的飞船基地。

众说纷纭中，人们依然无法破解卡纳克石阵的奥秘。

世界各地的水下金字塔

神秘的埃及金字塔带给人类无数的疑团。但是你知道吗？在浩瀚无垠的大海下也藏着许多金字塔，更为奇特的是，这些金字塔有的同埃及金字塔的形状几乎如出一辙，其中有什么奥秘呢？

葡萄牙的海底金字塔

在葡萄牙西面的亚速尔群岛的海底，矗立着一座巨大的海底金字塔。这座金字塔位于海面下40米左右，它高60米，宽8000多米，它的形状和埃及的金字塔几乎如出一辙。更为奇特的是，这座金字塔的四面棱线刚好朝向正东、正西、正南与正北，这一特点也和埃及著名的吉萨金字塔类似。

日本与那国岛水下金字塔

与那国岛是日本的一座岛屿，多年前，一名潜水员在与那国岛附近

潜水时意外地发现了一处海底废墟。这处废墟呈巨大的方形结构，由于已经遭到了破坏，发现者无法辨认其原有的结构。之后，又有一名潜水员在同一个地区的海底发现了另一个建筑遗址，这次被发现的是一个带棱角的平台。在随后的数月中，考古学家们对该地区的海底进行了大范围的搜索，结果发现了一座庞大的金字塔，这座金字塔有70多米长，坐落于一个看似用于举行仪式的宽阔地带，两侧有巨大的塔门。目前，这座神秘的水下金字塔仍充满许多谜团。

百慕大三角区金字塔

百慕大三角区是世界上最为神秘的地区之一，飞机、船舶等到了此处都会神秘消失。为了搞清百慕大的真相，美国和法国的科学家曾组成了一个联合考察组对该处进行探测。在探测时，他们惊讶地发现百慕大的海水下居然有一座海底金字塔！这座金字塔的规模比古埃及金字塔还要大，在金字塔上有两个洞，海水从这两个洞中流过。

> **影视档案馆**
>
> 《深海圆疑》讲述了一个顶尖的科学小组乘坐高科技实验艇前往南太平洋调查深海中发现的神秘太空船，船体内部有一个巨大而怪异的金球，它拥有着洞悉每个人的内心世界的强大魔力。更糟的是，一个不明海底生物也向实验艇发起了攻击，使小组与地面失去联络，险象环生。

为何海底会出现神秘的金字塔呢？考古学家和古文明的研究者们认为，这并不仅仅是巧合，这些海底金字塔和埃及的金字塔很有可能是同一种“神秘力量”建造的。

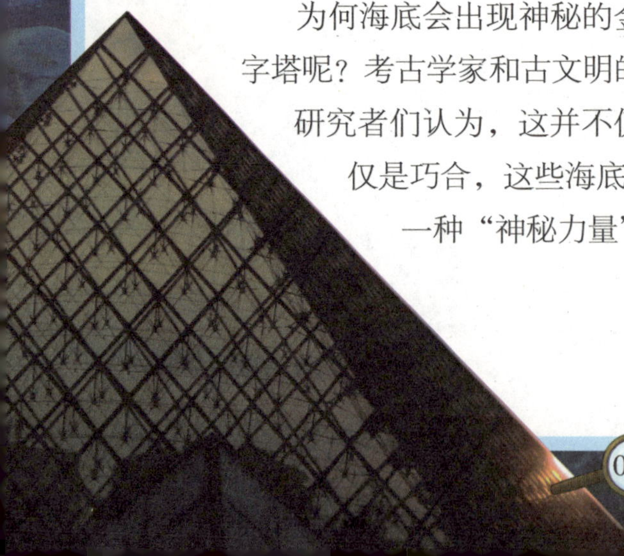

一夜消失的亚特兰蒂斯

传说中亚特兰蒂斯拥有高度发达的文明，千百年来，围绕着它始终有许多真假难辨的传说，而其中最吸引人的就是，亚特兰蒂斯为何在一夜之间神秘消失。

神秘王国的传说

传说，亚特兰蒂斯王国是由海神波塞冬创立的，海神波塞冬娶了人类的一位少女，并且生了许多孩子，他为自己的长子所创立的王国就是亚特兰蒂斯王国。相传亚特兰蒂斯王国曾盛极一时，亚特兰蒂斯人拥有神奇的能力，他们就像现代人利用太阳能一样，能够将光变成能源。同时，他们还拥有使人返老还童的本领。不幸的是，亚特兰蒂斯的国王犯了错，被众神之首宙斯惩罚，致使神秘的亚特兰蒂斯王国在一夜之间被沉入海底。

影视档案馆

电影《星际之门》中，美国军方发现了一个奇怪的圆环，这个圆环是可以穿越到另一个世界的星际之门。穿过这个星际之门后，人们发现了很多令人无法相信的事情：金字塔的建造、外星人是否到过地球等未解之谜。对于这些未解之谜，人们都有了新的解读。

是神话还是事实

有关亚特兰蒂斯的传说到底是神话还是事实呢？千百年来，关于这个问题的争论从未停止过。亚特兰蒂斯的传说流传甚广，因此，对于亚特兰蒂斯的描述不仅仅是人类的想象，有人认为有关亚特兰蒂斯的神话描述的其实是外星人来到地球的经历。寄居在海底的外星人被人类认为是海神，外星人和地球人结合之后生下了孩子，同时外星人利用自己的智慧创造了超出当时时代的王国，最终来自外星人家乡的首领摧毁了这个王国。这一推测解释了传说中亚特兰蒂斯人超出当时时代的科技水平。

亚特兰蒂斯究竟在何处

亚特兰蒂斯王国若是真实存在过，那么它到底在哪儿呢？许多考古学家在世界范围内进行了考证，塞浦路斯、直布罗陀海峡附近、爱尔兰、克里特岛甚至南极洲等地都曾被认为是亚特兰蒂斯的所在地。到目前为止，还没有人发现切实有力的证据能够证明亚特兰蒂斯的位置。

亚特兰蒂斯到底是不是一个神话传说呢？这个神秘出现又神秘消失的王国和外星人有没有关系呢？一切都还是未知。

二 与外星人有关的神秘印纹

"河图""洛书"是外星人的馈赠品吗?

"河图""洛书"是我国最古老的两幅神秘图画，相传它们是华夏文化的源头。但是千百年来，围绕着"河图"和"洛书"的许多谜团一直未揭开，其中最为扑朔迷离的要数它们和地外文明之间的关系了。

"河图""洛书"从何而来

关于"河图""洛书"的起源，历史上有很多传说，相传它们是由神兽送来的。相传在伏羲氏时期，有龙马从黄河出现，背负"河图"，有神龟从洛水出现，背负"洛书"。在另外一些传说中，"河图"和"洛书"则起源于大禹时，大禹因治水有功，有德于天下，故万民称颂，上天赐瑞，将"河图"和"洛书"赐给了大禹。也许你已经发现了，这些传说都

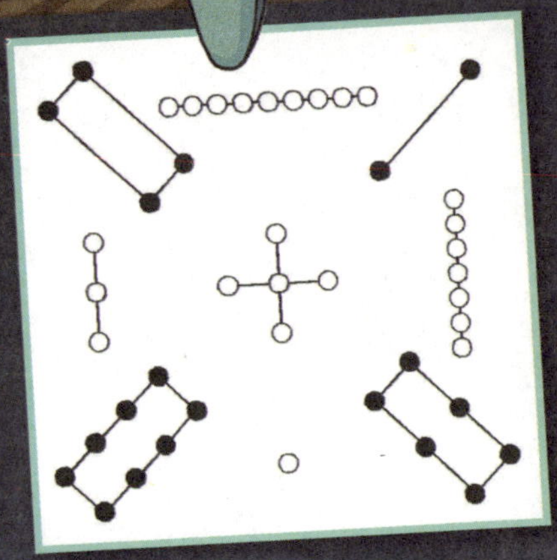

“洛书”中的图案

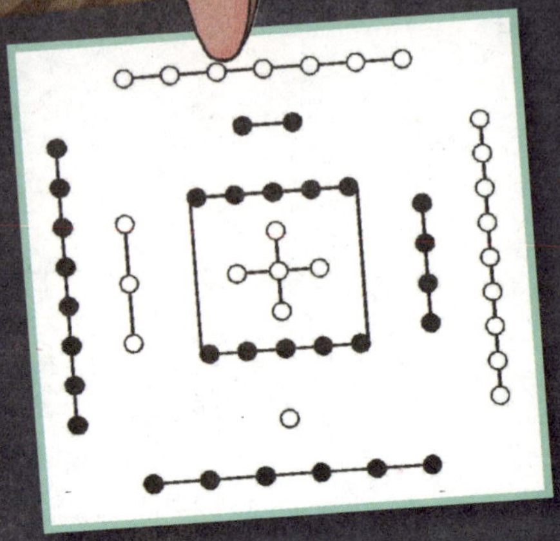

“河图”中的图案

有一个共同点：“河图”“洛书”并非人类自己创作的，而是不知名的“神兽”所赠。那么这到底是什么神兽呢？很多人猜测，传说中的神兽可能是来自其他星球的外星人！

泄露“天机”的古图

在古籍的记载中，“河图”和“洛书”不仅来源神秘，用途也极为传奇。相传这两幅神秘的图画记载的是不可随意泄露的“天机”，揭示了天地间万事万物的规律，伏羲正是根据其理论创造了八卦。那么，“河图”“洛书”所记载的“天机”到底是什么呢？也许我们可以从八卦中一探究竟。有学者认为，太极八卦所揭示的正是宇宙的奥秘，它用简单的变化模拟出了宇宙中行星运行的规律，可以说是宇宙的一个简单的数学模型。追本溯源“河图”和“洛书”所记载的天机应该是宇宙的奥秘。

影视档案馆

《远古外星人》是美国出品的科幻纪录片。主要讲述的是根据历史文献、考古发现、神话传说等来寻找古代人与外星人接触的证据。

精妙绝伦的宇宙简图

为了搞清楚"河图""洛书"和宇宙间星系的关系，很多学者开始研究它们之间的关系。一些研究结果表明，"河图""洛书"中的白点和黑点的分布所代表的也许正是宇宙间各大星系的平面分布图，换句话说，它正是宇宙星系的结构简图。有学者还发现，如果将"河图""洛书"中的黑白点用数字来表示，一个白点代表数字1，两个黑点代表数字2，以此类推，根据其图案再配合简单的天文学公式，甚至可以大致推算出宇宙中星体的质量。

相传，目前留存的"河图""洛书"只是原版的很小一部分，但即使是这一小部分，也已经让我们困惑不已，其原版图案的精妙程度可见一斑。那么远古时期的人到底是如何创作出如此精妙绝伦的"天机"图的呢？也许只有外星文明才能够解释这个谜团。

神秘的多贡族

多贡族，一个位于非洲尼日尔河河畔的落后部落，同非洲其他土著民族一样，大多数的多贡人至今仍过着或农耕或游牧的生活，他们甚至没有自己的文字，但就是在这样一个落后的部落里，却隐藏着惊人的宇宙秘密。

落后部落里的天文学家

在多贡族里，最令人惊叹的要数多贡人丰富的天文学知识了。他们不仅熟知天文历法，了解太阳、月亮、金星等天体的运行规律，而且知道土星拥有独特的光环，木星有卫星，他们甚至知道银河系的星系简图。最令人不解的是，多贡人对于一颗叫作天狼星B的恒星极为熟悉，他们能够详细地描述天狼星B的重量、体积、密度、运行规律等特性，并且还会定期祭拜这颗恒星。要知道，其中许多天文知识是近几个世纪才被天文学家们发现的，而天狼星B则是在1862年才被观测到的。人们借助各种现代化、高科技的天文学仪器进行观测，才知道它是一个体积很小但密度极大的白矮星。那么，一个与世隔绝的落后部落又是如何掌握了这些先进的天文学知识的呢？

壁画里的宇宙飞船

在多贡族部落里，多贡人供奉着神圣的壁画，相传这些壁画描绘了多贡族古老的传说，是多贡族最为珍贵的文物之一。在这些壁画中人们惊奇地发现了一个极为神奇的场景：一个带着火焰的飞盘从天而降，在一个三角形支架的帮助下，飞盘降落到了地面上，一些会飞的“鱼人”从飞盘中飞出，他们和多贡人的祖先进行了交流，教会了多贡人的祖先许多知识。无论从哪个角度来看，多贡人贡奉的古老壁画里描绘的都是外星人乘坐着宇宙飞船来到地球的场景。

影视档案馆

《天狼星》是2013年美国上映的纪录片。影片揭示了不明飞行物、外星人、先进的清洁能源等内容。影片希望提供证据来表明政府已经解决了如何运作UFO的难题，并且隐藏了可以提供清洁能源的先进技术。

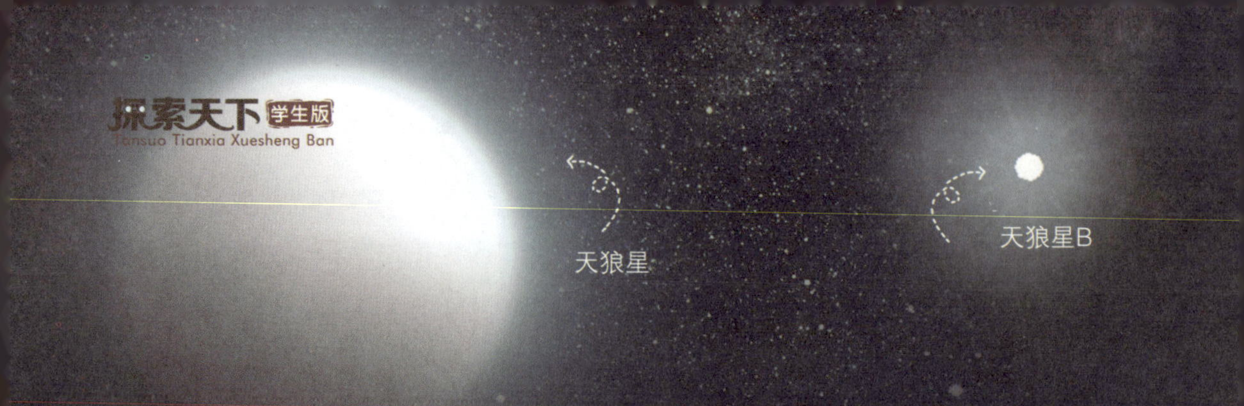

诺姆神的传说

除了壁画之外，在多贡族中还流传着一个关于诺姆神的古老传说。相传诺姆神是一种长得既像人又像鱼的生物，他们从遥远的地方来到多贡人生活的地区并且定居了下来。在接下来的日子里，诺姆神不仅和多贡人成了朋友，教给了他们许多知识，同时还向多贡人详细地描述了自己的家乡，说那是一个白色的星球，那个星球围绕着它的母星以椭圆形的轨道不停地运行着，每50年一个周期。这个古老传说进一步验证了壁画中的场景，也许多贡人丰富的天文学知识正是从外星而来的诺姆神所赐。

天狼星来客

如果多贡人的传说是真的，那么数千年前造访多贡族的外星人诺姆神到底来自何处呢？种种证据表明，诺姆神正是来自于多贡人所祭拜的天狼星B。研究表明，传说中诺姆神所描述的家乡的特征和天狼星B的特性如出一辙。

数千年前，遥远的天狼星来客为何要造访地球，他们又是何时离去的，这仍然是一个谜。

雷斯地图出自谁之手？

16世纪初，土耳其海军上将皮里·雷斯偶然间得到了一幅珍贵的古地图，当时谁都没有想到这幅古老的地图会引起人们的争论。

神秘的雷斯地图

据雷斯上将回忆，雷斯地图是从一名西班牙战俘手中得到的。为了搞清地图所绘的地形位置，雷斯上将找了一些地理学家对地图进行了深入的研究，但是结果让地理学家们大吃一惊。这幅地图精确地描绘了美洲大陆的地形，其科学性和精确性让当时的地理学家也望洋兴叹，但是这些大陆的形状都像是被人为拉长了一般，看上去十分奇怪。更令他们不解的是，地图上除了南北美洲之外，还描绘有另外一片大陆的轮廓，轮廓内山脉的形状和走势均清晰可见，可是这片大陆到底是哪里呢？它是不是真实存在呢？当时的地理学家谁也不能给出确切的答案。

谁绘制了冰雪下的南极洲

在雷斯地图出现几个世纪后，围绕它的谜团才渐渐被揭开冰山一角。1820年前后，人类第一次发现了南极洲的存在，这时人们发现原来雷斯地图上神秘的大陆正是南极洲！与此同时，新的问题又出现了，南极洲常年被冰雪覆盖，但是雷斯地图上标注的南极洲却

存在着大量的山脉，一直到回声测量技术被发明之后，人们使用回声仪对南极洲进行了测量，答案才被揭晓。测量结果表明，在南极洲的冰雪之下的确存在着大量的山脉，而且山脉的走向和雷斯地图所绘的如出一辙。这个发现使得雷斯地图的来源变得更加扑朔迷离，在没有高科技的年代里，地图的绘制者是如何知道冰雪下南极山脉的形状的呢？这一切似乎并非人力可为。

皮里·雷斯

出乎意料的答案

当时，引起人们怀疑的还有地图上美洲大陆的奇特形状。随着航天技术的发展，人们发现当在高空中进行航拍时，地面上大陆的形状就会被扭曲拉长，而扭曲拉长后的形状和雷斯地图上的形状很相似。因此有人大胆地推测：雷斯地图正是一幅高空投影图！这一假设很快就得到了证实。在美国的月球探测器发回的地球照片中，人们找到了一张与雷斯地图几乎一模一样的照片，事实表明，雷斯地图正是从月球所在的高度观察地球后绘制出来的。

那么到底是谁在月球上绘制了雷斯地图呢？越来越多的人相信，它的绘制者就是路过地球上空的外星人。

麒麟武士图出自谁之手？

在四川雅安名山的蒙顶山上，隐藏着一幅奇特、巨大的图，这幅图只能在卫星地图里才看得清。图案是由一只麒麟和一个头戴羽毛的武士组成的。到底是谁绘制出了这样一幅巨大的麒麟武士图呢？

卫星地图里的神秘图案

巨大的麒麟武士图是被一位叫作谢强的四川人无意间发现的。他在使用卫星地图软件浏览家乡的卫星地图时发现了这幅隐藏在蒙顶山上的神秘图案。图案中的麒麟和武士细节清晰、栩栩如生。最令人惊奇的是，整幅图有40多平方千米！为了看得更清楚，谢强截取了在不同高度拍摄的卫星地图，发现如果高度在20000米到30000米时，麒麟武士图的图案会十分清晰；若是高度在10000米左右，只能隐隐约约地看见武士的轮廓。但是令人不解的是，迄今为止，飞机所能达到的高度大多在10000米左右，那么这幅巨大的图到底是谁绘制的？图案到底有何意义？它又是供谁观看的呢？

北纬30度的巧合

蒙顶山的惊天秘密被发现之后，许多人前往四川雅安，想一探究竟，这时人们又发现了一个令人震惊的巧合——麒麟武士图所在的蒙顶山正位于北纬30度。这条纬线是地球上最为神秘的纬线，几乎所有人类用自己的智慧无法解释的事物都位于这条纬线上，埃及的金字塔、神秘失落的玛雅文明、巴比伦的空中花园、传说中沉没的大西洲以及神秘的百慕大三角洲等等。人们普遍认为位于北纬30度上的许多神秘事物同地外文明和外星人有关，那么同样位于北纬30度的蒙顶山上的麒麟武士图是不是也是外星人的杰作呢？

神秘力量的猜测

为了搞清麒麟武士图的真相，中央电视台《走近科学》栏目曾带着专家学者前往四川雅安一探究竟，经过实地考察之后，他们进一步确认这幅巨大的图上并没有人工开凿的痕迹，而且当地地势也并不适宜大型的施工开凿，可见麒麟武士图并非人力所为。因此，越来越多的人开始认为制作出麒麟武士图的神秘力量来自外星人，麒麟武士图是外星文明的产物，外星人是为了便于辨认地球上某点的位置，才在地球上留下了这幅只能在高空清晰展现的图，但这一切都仅仅只是假设，真相到底如何，我们不得而知。

谁绘制了纳斯卡荒原的线条巨画？

在秘鲁纳斯卡小镇的荒原上，有无数看上去十分普通的沟槽，但若是站在高处观看，这些横七竖八的沟槽就会组成许多精妙绝伦的图案，这就是让世人称奇的纳斯卡线条巨画。

惊世骇俗的巨型画作

纳斯卡荒原上的巨画绵延了数百平方千米，大多数画作都是由线条组成的几何图形，如三角形、平行四边形、螺旋形等，这些几何图形大小不一，最大的甚至覆盖了5平方千米。最令人称奇的是，这些图形就像是用圆规、直尺等工具绘制出来的一般，精确无比。除了几何图形，平原上的沟槽还组成了许多动植物甚至人的形象，这些图案同样被绘制得惟妙惟

肖，不论是猴子、蜘蛛、仙人掌、鱼，还是人形，都十分逼真。更令人惊讶的是，同类型的动植物图案几乎一模一样，就像是用同一个印章印出来的！

线条巨画神秘消失之谜

纳斯卡线条巨画的神奇之处还不仅如此，随着太阳的升起，线条巨画还会神奇地消失。每天太阳初升之时，若是登高而望，线条巨画便会显现在你的面前；但是太阳升高后，你即使站在高处，也无法看到这一幅幅线条巨画。有学者认为这是由于线条巨画的创作者使用了复杂的光学原理，并根据光线对画作的布局进行了调整和计算。

线条巨画是怎样创作出来的

神秘的线条巨画让人啧啧称奇，但是更困扰人们的是线条巨画的来历和用途。人们经研究发现，在纳斯卡荒原的沟壑中分布着用于作画的木桩，同时沟壑里还填满了小石块，以免沟壑的形状发生变化，由此可见，这一幅幅波澜壮阔的线条巨画的形成并非一个巧合，而是有意为之。但是考古学的测定表明线条巨画形成的时间在2000多年前，当时的纳斯卡居民尚处于原始社会，又怎能创作出这样的巨型画作呢？

空中飞人的传说

有人推测，纳斯卡的线条巨画是外星文明在地球上留下的痕迹。他们认为，鉴于线条巨画的规模和数量，只有在空中才能够对巨画的创作进行监督，而这一项工作是数千年前的古人无法完成的，只有乘坐飞行器的外星人才能够完成这个奇迹。而纳斯卡当地的传说似乎也印证了这个推测。传说当地曾出现过像鸟一样的空中飞人，当地的壁画和陶器上也有飞行装置和飞人的图案。所以有人推测，这些空中飞人便是到过纳斯卡的外星人，至于他们为何要留下如此巨大的图画，这恐怕永远都是一个谜了。

贵州开阳的画马崖岩画群

在很多景区里，都有古人留下的各式各样的壁画，这些壁画精妙绝伦，让人不得不感叹古人神乎其神的技艺。但是你想过没有，也许其中有些画作并非人类所为？贵州开阳画马崖的岩画群里就弥漫着外星文明的疑云。

身世不明的岩画

画马崖位于贵州开阳的苗寨内，在这片岩壁上有一批神秘的壁画，画中最常见的就是类似马的图案，画马崖因此而得名。除了姿态各异的马，画马崖的岩画中还有鱼、虎、狗等常见的动物和龙、凤等图腾。此外，岩画上还有太阳、星星图案，这些图案都是由赭红色颜料所画，据考证，迄今已有数千年的历史。画马崖上的岩画是当地最为珍贵的文物之一，它伴随着苗寨经历了数千年的风风雨雨，可是苗寨里的人却说不清这些岩画是何时由何人所画。

神秘图案背后的谜团

在画马崖的岩画中，除了动物的形象，还有一些人物的轮廓。但奇怪的是，这些人体形巨大，其比例远远超出了正常人的范畴，还有人发现了类似人体胸透透视图的图样，这些图样虽然寥寥数笔，却描绘得惟妙惟肖。除此以外，画马崖的岩画中还有一些反复出现的大圆点、小圆点、小斜点和怪异神秘的图形符号，很多前来考察的专家学者都无法解释这些神秘图形符号的含义。

无人能及的作画方式

画马崖的岩画在一处地势险要的悬崖处，这里上为悬崖绝壁，下为陡坡和森林。在这样的地势条件下，光是要看清这些画作就已经很不容易了，更不要说亲手作画了。为了揭开画马崖岩画的秘密，曾有人想要模拟古人在悬崖上作画，但是即使在现代化工具的帮助下也无法完成画作。那么数千年前的创作者到底是如何在如此险恶的地势条件下创作出如此丰富的画作的呢？有人认为只有外星人才能够解释画马崖的谜团。

外星人的艺术创作

从艺术的角度看，画马崖岩画的艺术水平极高，它采用的是极为先进的垂直投影作画法，巧妙地利用了悬崖本身的结构和层次，使得画作更有空间感和层次感，这些艺术手段远远超出了当时人类的文明水平。从这个角度来看，画马崖的岩画也许是外星人在地球上的一次艺术创作。造访地球的外星人发现了画马崖独特的地理优势，创作出了技术和艺术水平都极为高超的艺术作品，也留给了我们无数的谜团。

世界各地的独目人画像

在你的想象中，外星人长什么样子呢？是青面獠牙还是奇形怪状呢？在一些外星人爱好者的心目中，独目人是最有可能来过地球的外星人类型。分布在世界各地的独目人画像可能就是外星人留在地球上的痕迹。

新疆陨石上的独目人岩画

在新疆青河的一个山沟中，考古学家发现了许多陨石，这些陨石让人感到惊奇的地方是它们上面的画像，画像中有牛、羊、马、骆驼等。其中，独目人画像最引人注目。这些独目人头部为圆形，只有一只眼睛位于前额，并且其双手连接在一起形成圆环放在胸前，腰部有两个圆弧，圆弧下是两只脚。在当地，没有人能够说出这些陨石的来历，也没有人知道陨石上所刻的独目人画像到底代表着什么。

罗布泊独目人岩刻

无独有偶，在新疆罗布泊的库鲁克山中，也有一个独目人的岩刻，它是由瑞典的考古学家贝格曼发现的。这个岩刻隐藏在一个陡峭的悬崖上，岩刻中的独目人双臂形成圆环垂下，同青河的独目人岩画极为相似。

宁夏贺兰山的独目人图腾崇拜岩画

宁夏贺兰山的山崖上也刻有独目人的图腾崇拜岩画。令人惊讶的是，这里的独目人图腾同新疆的独目人岩画几乎如出一辙：圆圆的头部，前额刻着一只巨大的眼睛，圆圆的身体下有两个圆弧。唯一的区别是，贺兰山岩画上的独目人的腿较长一些。

撒哈拉沙漠中的独目人岩画

非洲的撒哈拉沙漠中也有独目人岩画，这幅岩画被称作伟大玛斯神。岩画中的独目人同我国岩画中的独目人极为相似，但是这幅岩画中的独目人却戴着一个圆形的头盔，身上也穿着奇特的衣服，乍一看就像是一个宇航员。有人认为撒哈拉沙漠中的独目人岩画描绘的正是外星人刚刚到达地球时的情景。

日本的独目人雕塑

更令人惊奇的是，除岩画以外，考古学家还在日本发现了独目人雕塑。现在这座雕塑被一位收藏家收藏。据考证，这个雕塑已有2000多年的历史，雕塑中的独目人同撒哈拉沙漠岩画中的独目人一样，也戴着头盔，穿着宇航服，看上去极为奇特。

知识链接

我国关于独目人的记载最早出现在《山海经》中。《山海经》之《海外北经》记载："一目国在其东，一目中其面而居。"这里的一目族指的就是独目人一族。

在遥远的古代，相隔甚远的人们是如何创作出极为相似的独目人形象的呢？相信这不仅仅是一个巧合，也许在未来的某一天，来自外星的独目人会再次来到地球，揭开世界各地的独目人之谜。

巴西洞穴中的岩图

在南美洲的巴西境内，有数百个天然形成的洞穴，这些洞穴形态各异，令人目不暇接。在其中一些洞穴中，人们还发现了一系列神秘莫测的雕刻绘画、象形符号和考古学家根本不认识的古怪题词，雕工技艺娴熟精湛，令人惊奇不已。

万年洞穴中的奥秘

巴西境内的神秘洞穴位于戈亚斯州的拉瓜桑塔自治区内，洞穴有数百个之多，其中只有十几个被考古学家所发掘。考古学家在这些洞穴中的发现令人惊叹不已。洞穴内分布着一些古人类的头骨，研究表明，这些头骨距今已有10000多年的历史。除此以外，洞穴中还有一些奇怪的图形，考古学家们普遍认为这是一种奇特的文字，但是人类最早的文字是在5000多年前出现的，那么这个万年洞穴中的文字到底是何人所留呢？

诡异的人形壁画

除神秘莫测的图形外，洞穴中的壁画上还有一些我们可以辨认的动物，例如类似大猩猩、猫和牛的动物。壁画中最引人注目的要数一种人形图案了，图案中的“人”身形巨大，手掌上有四根手指，而脚掌上则有六个脚指头，这种奇特的人形图案在壁画中数次出现，可见这种形象奇特的“人”在当时颇为常见。

“谁”曾经在这里

为了揭开巴西洞穴中的秘密，考古学家们对洞穴中的奇特图形进行了研究。这些奇特的图形很有规律地排列着，有些人认为，其中有些题词的意思是：“我们在这里。”这个结果引起了人们极大的兴趣，这证明数万年前的洞穴中曾经出现过拥有文字的高等文明。

天外来客的猜想

根据现有的研究结果，许多人大胆地推测外星人曾经在巴西洞穴中出现过，洞穴中的壁画和文字都是外星人所留，而奇特的人形画像正是外星人的真实形象，文字则记录了外星人到达地球的经过。

巴西洞穴的真相到底是什么呢？也许只有当我们全部破译了其中的文字才能知晓。

法国古币上的UFO图案

对人类来说，UFO是十分神秘的存在，它来无影去无踪，就算有人幸运地看见了它的身影，通常也只是匆匆一瞥。但是在一枚17世纪的法国古币上，却刻有UFO的图案，这究竟是怎么一回事呢？

古币上的UFO

来自美国科罗拉多州科罗拉多泉的肯尼思·E.布莱斯特收藏着一枚特殊的古币，这枚古币是17世纪在法国铸造的，它的大小和普通的硬币没有什么区别，但是它上面的图案十分特殊。在这枚古币上，一个圆形的碟状飞行物正在云朵间飞行，而地面上的行人正抬头观察这个奇特的飞行物。古币上的飞行物和近些年人们看到的UFO十分相似。因此，人们普遍认为这枚古币上的图案记录的正是当时人们看到UFO的场景，由于当时没有相机，人们便根据自己的记忆将这个奇特的飞行物出现时的情景刻在了古币上。

玄之又玄的文字

除了形似UFO的不明飞行物，古币的周围还有一圈意义不明的字母：OPPORTUNUSADEST。这些看上去毫无关联的字母给古币增添了一分神秘的色彩。一些考古学家认为这是一种类似拉丁文的文字，并将其翻译为“时机到了，它就会出现”。从这个翻译可以看出，当时的人们认为UFO是一种十分神秘的飞行物，只有在机缘巧合之下才可以看见。

是UFO还是伊西基尔转轮

但是，也有一些人认为这枚古币上所刻画的并不是天外来客乘坐UFO造访地球的情景。他们提出，《圣经》中曾经提到过一个会转的轮子——伊西基尔转轮，因此，这枚古币上的图案也许是人们根据《圣经》中的描述所画。但是，《圣经》中只提到伊西基尔转轮可以向各个方向转动，并没有提到它可以在空中飞翔，因此这种观点并没有得到人们的认同。还有一些人认为，《圣经》中记载的这种奇特转轮本身就是外星来的一个UFO，因此这两种说法并不矛盾。

《圣经》

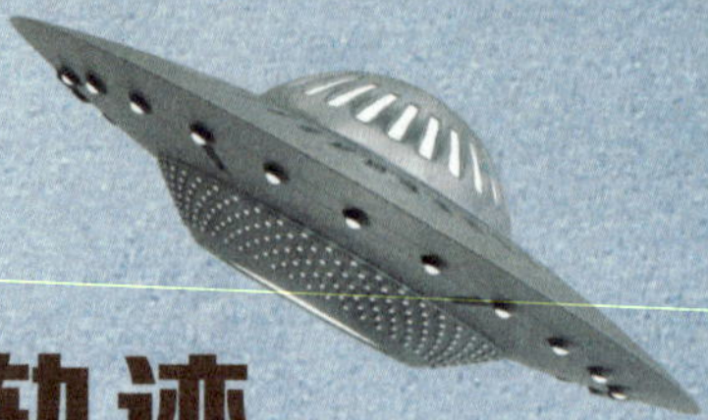

马耳他岛上的神秘轨迹

地中海的中部有一个神秘的岛国——马耳他，它的面积很小，只有300多平方千米，但就是这样一个“弹丸之地”，却隐藏着许多人类无法解释的谜团，其中最著名的要数岛屿上神秘的轨迹了。

超乎寻常的轨迹

马耳他岛的地面上有一种奇特的轨迹，它的凹槽深度可达70多厘米。这种轨迹看上去就像是某种交通工具走过后留下的车辙，但奇怪的是，这种轨迹同人类所知的任何交通工具行走后留下的车辙都不相符。更令人感到奇怪的是，这种轨迹穿越了岛上的山川和峡谷，并且一直延伸到地中海深处，有潜水员在马耳他岛附近海面下的沙土中也发现了这样的轨迹。

毫无头绪的猜想

千百年来，人们对马耳他岛上的轨迹进行了无数的猜想。最初，人们普遍认为这种轨迹是当地一种手推车的车辙，但是考古学家们发现，马耳他岛上从未出现过可以形成这种痕迹的手推车。后来，又有人推测这种轨迹是马耳他岛古代的输水系统，但是在这种轨迹中，曲线非常多，而且还跨越了高山，这不符合输水系统的运作原理。还有人认为，这是当地人在

运输石块时石块与地面接触留下的痕迹，但是为何这些痕迹会通向地中海呢？这些推测似乎都不能成立。

外星人的交通工具

由于人类无法用现有的知识来解释马耳他岛的轨迹，因此，有人便大胆地推测这种轨迹是由一种人类从未见过的交通工具留下的，而这种交通工具正是外星人到达地球时乘坐的，就如同人类的月球车会在月球上留下独特的痕迹一样，外星人的交通工具也在地球上留下了自己的痕迹，而且从轨迹的走向来看，这种交通工具不仅能在地面上运行，还可以在海底潜行，这也就解释了为何轨迹最终会通向大海。

神秘的神庙建造者

以上的推测并非异想天开，马耳他岛上还有其他人类无法解释的奇迹，太阳神庙就是其中的一个。太阳神庙距今已有6000多年，是马耳他岛上最古老的神庙之一，神奇的是，这座神庙可以根据太阳光线在一年四季中的变化来显示主要节气，要建造这样的神庙必须有丰富的天文学知识。这似乎印证了数千年前拥有高等文明的外星人曾出现在马耳他岛上，他们创造了伟大的太阳神庙，也在岛上留下了那些神秘的轨迹。

乌卢鲁岩画之谜

澳大利亚中部的乌卢鲁—卡塔曲塔国家公园是世界著名的自然和文化双遗产，这里保存着神秘的古老岩画，这些岩画已有10000多年的历史，画面奇特诡异，画中描述的场景更是让人们疑惑不已。

国家公园里的古老岩画

乌卢鲁—卡塔曲塔国家公园是位于澳大利亚中部炎热地区的自然公园，其中最著名的景点就是奥尔加岩山。奥尔加岩山的岩洞中保存着许多古老的岩画。考古学家们通过研究发现，奥尔加岩山的岩画是用赭石、木炭等天然颜料绘制的，距今已经有10000多年了。

神秘岩画背后的秘密

更令科学家们疑惑的是岩画上的图案。通常来说，远古时期，岩画的图案以当时人们所熟悉的动物和植物为主，例如，法国拉斯科洞窟中的岩画中就出现了类似马、鹿等动物的图案。但是乌卢鲁—卡塔曲塔国家公园的岩画却由许多奇特诡异的图案组成，图案中有些人长着和身体不成比例的巨大头部，头上还有两个巨大的眼睛，有些人头上则长着奇怪的头发。更令人惊讶的是，人们在岩画中还发现了类似帆船的图案，要知道，帆船只有几千年的历史，那么10000多年前究竟是谁将它画在了岩石上呢？

藏在岩画里的故事

为了揭开乌卢鲁岩画背后的秘密，许多考古学家对岩画中的图案进行了分析，结果发现乌卢鲁—卡塔曲塔国家公园的岩画中竟然隐藏着一个离奇的故事：远古时期，一个巨大的圆形飞行物从天而降，几个人从这个圆形飞行物中走了出来，后面跟着几个孩子，后来大人们去世了，留下孩子

们在当地生活。为了纪念自己的亲人，孩子们就将自己的经历和亲人的画像画在了岩石上。

岩画是外星人画的吗

乌卢鲁岩画中隐藏的故事似乎证明，岩洞中的岩画和外星人有着说不清道不明的关系。有专家指出，岩画中描述的场景正是外星人曾经来到地球的证据，而岩画上奇特的人形画像正是外星人。但是并非所有人都认同这种观点，澳大利亚公园管理部门的一位发言人就曾表示，关于乌卢鲁岩画是外星人所作这一传说十分荒诞。当地一些研究土著文化的专家也提出，岩画上的奇特图案只是土著人的想象，图案中描绘的场景只是土著部落古老的神话传说。

乌卢鲁—卡塔曲塔国家公园的岩画究竟是谁画的呢？岩画中描述的故事和外星人有关吗？这些也许永远都是谜。

探索·发现
——神秘的历史遗迹

说到历史遗迹，想必大家都会想到埃及的金字塔和英国的巨石阵，其实世界各地还有很多神秘的历史遗迹。今天就让我们看看那些你不知道的历史遗迹吧。

佩特拉古城

佩特拉古城遗址以岩石的色彩闻名于世。这里的岩石带有珊瑚般的微红色调，在阳光的照射下闪闪发亮。远观石窟构成的楼群，好似天上的琼楼仙阁，尤其在朝阳和晚霞的照射下，整座城市会变成玫瑰色，所以佩特拉又被称为“玫瑰古城”。19世纪的英国诗人威廉·伯根在诗里赞美它：“令我震惊的唯有东方大地，玫瑰红墙见证了整个历史。”

巴尔别克村

巴尔别克村位于黎巴嫩，整个村庄的外围城墙只用了三块巨石。在我们的头脑中，三块巨石堆砌成一个圆，已经不可思议了，然而这三块巨石竟然砌成了整个村子的外围围墙，这似乎是天方夜谭！可事实确实如此。这三块巨石每块重量都超过1000吨，这个数字，也许还不能让你震惊，那换个算法，也就是说每块石头都可以建造三幢高15米、宽6米、深12米的楼房，墙的厚度达0.3米。一个偏远的小村庄，竟然有如此壮丽的建筑，而且历经沧桑，依执着地矗立着，怎么能不令我们惊叹？

米诺斯王宫

米诺斯王宫坐落在凯浮拉山的缓坡上，依山起伏，整座遗址分布着上千间宫室。支撑房屋厅堂的立柱是抛光的整棵大原木，上粗下细，似乎是倒立着的，使室内显得更加低矮。和其他王宫不同的是，米诺斯王宫的各个宫室都以长廊、门厅、暗道、阶梯相连接，曲巷暗堂千回百转、分合难辨，恐怕即使是当时的王室成员也难以自由出入，难怪在希腊神话中这里会被称为“迷宫”。

第二章

亦真亦幻的外星人

Yizhen-yihuan De Waixingren

一 你对外星人了解多少？

真的有外星生命存在吗？

在许多影视作品中，外星人总是神出鬼没；在目击者报告中，外星人也是来无影去无踪，那么人类是否是宇宙中唯一存在的智慧生命形式？是否真的有外星生命存在呢？

著名的"费米悖论"

费米

我们在探讨外星生命是否存在时，总有一个绕不开的话题，那就是"费米悖论"。1950年，诺贝尔物理学奖得主、美国物理学家费米在同别人讨论外星人时提出了一个简单的问题："他们都在哪儿呢？"这句看似简单的问话，就是著名的"费米悖论"。费米的话表现了这样的"悖论"：A.外星人是存在的——科学推论可以证明，外星人的进化要早于人类，他们应该已经来到地球并存在于某处了；B.外星人是不存在的——迄今为止，人类并未发现任何有关外星人存在的蛛丝马迹。这个悖论阐述的是对地外文明存在性的过高估计和缺少相关证据之间的矛盾。

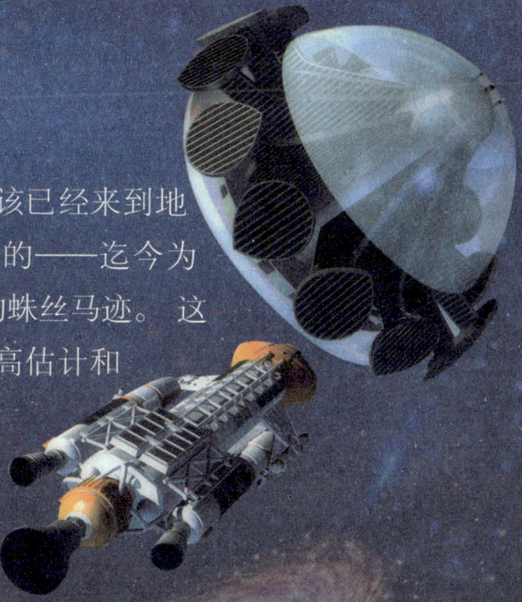

支持者的理论

也有相当一部分人认为，外星生命是确实存在的。要知道，地球只是宇宙中普通得不能再普通的一颗行星。宇宙浩瀚无垠，远远超出了人类的想象，即使在地球所在的银河系中，也拥有数千亿颗像太阳一样的恒星，至于像地球一样的行星，更是多得数不胜数。在如此多的行星中，肯定有像地球一样适合生命生存的星球，外星生命的存在也就成了顺理成章的事，因此在支持者看来，在宇宙的某个角落，一定有我们所不知的外星生命存在。

你相信外星人的存在吗

在这两种观点面前，你更倾向于哪一种呢？随着人类对宇宙探索的不断深入，再加上越来越多的UFO目击者报告的出现，越来越多的人开始选择相信外星人是确实存在的。人类只要不放弃对宇宙的探索，总有一天会发现外星人存在的证据。

是否真的有外星生命存在呢？时间会告诉我们答案。

对外星人的各种猜想

好奇的你一定暗暗地在心中对外星文明和外星人进行过各种猜想吧！在你的想象中，外星人是什么样子的呢？他们生活在什么样的环境中呢？他们和我们人类有什么不同呢？

猜想一：智慧超过人类的生物

外星人可能拥有远远超出人类认知的文明。对外星人来说，人类引以为傲的智慧和科技都是完全不值一提的。所以，外星人要么不屑于和人类这种生物交流，要么正使用先进的科技发明监视着地球上的一举一动，人类社会所有的发展变化，完全处在外星人的监控之中。

猜想二：齐头并进的外星生命

生命的诞生可能源于宇宙中的一次神秘大爆炸，因此，外星文明和地球文明可能是同时产生的。在时间的长河中，这些文明也许正朝着不同的方向发展，正如人类从未停止对宇宙的探索一样，外星生命可能也正在茫茫宇宙中寻找着他们的同伴。

猜想三：大相径庭的生命形式

外星生命的生命形式可能跟地球上的生命形式完全不同，也许他们看上去就像地球上的一块石头那样普通。所以，即使真的有外星人出现在地球上，人类也无法识别出这种奇特的生命形式，更不要说同他们进行交流了。

知识链接

2015年，美国的天文学家成功研制出了一种可以用于搜寻外星人的先进“武器”，这种武器可以发出红外信号，这种信号能够探测到数千光年以外的星体，并且能够自动捕捉生命存在的信号。

外星人的类型

在数目庞大的目击者报告中，有许多关于外星人的记录。对这些记录进行研究和统计，我们就会发现，报告中出现的外星人大致有三种类型。现在就让我们一起来看看这些外星人的类型吧。

灰色外星人

灰色外星人是一类像两栖动物的外星人，因其皮肤呈深灰色而得名。这类外星人长得几乎一模一样。他们的身高同成年人相比要矮一些，平均在1.3米左右，头部较大，没有头发。此外，这类外星人的眼睛为环形，他们的手能够到膝盖，但相对于他们的腿来说，显得比较短。除此之外，相对于人类来说，他们少了一些明显的器官。最早目击到这类外星人的是1961年美国的贝蒂和巴尼。

爬虫外星人

爬虫外星人是一类外形像爬行动物，却具有高度智慧的外星生物。这

类外星人看上去和地球上常见的爬行动物，如鳄鱼、蜥蜴等类似，头部为圆锥形，皮肤多为深灰色或者深黑色，有些爬虫外星人还有头发、鳞片、尾巴甚至翅膀。据目击者描述，爬虫外星人的性格凶残暴虐，对地球人来说，爬虫外星人是一种极为可怕的外星生命。

人形外星人

人形外星人是一类外形和人类极为相似的外星生物，这类外星人的身高和成年男性相仿，皮肤白皙，但是他们的眼睛为椭圆形，同人类相比要大许多。同人类一样，这类外星人也分“男”和“女”，女性外星人拥有金黄色的头发，而大多数男性外星人没有头发。有专家推测，人形外星人是外星人和人类的后代。

若是宇宙中真的存在外星生命的话，他们的类型绝对不止这几种，相信随着时间的推移，也许会有越来越多的外星人访问地球，而外星人的神秘面纱也终将被揭开。

寻找外星人有哪些途径？

浩瀚的宇宙中有很多星球，也许在其中的某一颗星球上正生活着我们的外星“邻居”，那么我们要如何在茫茫的宇宙中找到这些不知身处何处的外星“邻居”呢？科学家们认为，要想寻找外星人，主要有三种途径。

寻找真实的证据

第一种方法是寻找外星生命存在的证据，包括照片、视频以及外星人的遗骸等。我们可以向宇宙中的其他星球发射大量的宇宙探测器，这些探测器承担着搜寻外星人的任务，它们日复一日地在宇宙中航行和搜寻，一旦发现生命存在，就会立刻将收集到的证据传送回地球。但是，这种方法需要强大的科技力量做后盾，人类的宇宙探测器能够持续飞行的距离决定其寻找范围。目前，美国航空航天局已经使用“好奇”号、“机遇”号等探测器对火星展开了调查。

从“大气成分”入手

我们都知道，生命的存在会对大气的成分产生巨大的影响。以地球为例，在生命出现之前，地球的大气成分主要为甲烷，但是随着生命的出现，氧气在大气中的比例越来越高。所以有的科学家认为，我们可以通过监测宇宙中行星的大气成分来寻找外星生命。依据目前的科技水平，人类已经可以对外行星的大气成分进行监测和分析，因此有人推测，不久的将来，这种方法就会为我们带来有关外星生命的好消息。

倾听宇宙中的“声音”

若是外星智慧生命真的存在，那么在我们寻找他们的同时，他们也一定在寻找我们。像人类一样，外星生命也许已经在宇宙中释放了大量的“信号”，我们只要能够搜寻和接收到这些信号，就能够找到外星人。目前，科学家们正在使用最先进的信号探测器对宇宙中的各种信号进行搜寻和分析，希望能够从中找到外星智慧文明的信号。

要想在浩瀚的宇宙中找到“来自星星的人”是一件非常艰难的工作，但是随着人类搜寻范围的不断扩大，相信总有一天我们能够揭开外星人的神秘面纱。

影视档案馆

《寻找地外生命》是美国的一部纪录片。纪录片详细地记录了美国和俄罗斯的科学家们对太阳系或其他星系的陨石残片进行的研究。据纪录片显示，科学家们采用了各种各样的方法对地外星球进行观测和分析，希望从中找到外星文明存在的证据。

人类该主动寻找外星人吗?

在科幻电影里,大多数外星人都是"心怀不轨"的入侵者,为了对抗这些强大的入侵者,人类想尽了各种办法。那么,人类该主动寻找外星人吗?

来自霍金的警告

英国著名的物理学家斯蒂芬·威廉·霍金在提到外星人时,曾给出了一个令人毛骨悚然的警告。他提道:"如果外星人拜访我们,我认为结果可能与克里斯托弗·哥伦布当年踏上美洲大陆类似。那对当地印第安人来说不是什么好事。"霍金认为,外星人一旦发现地

斯蒂芬·威廉·霍金

球，必定会大规模入侵，这将是全人类的灾难，所以人类应该尽量避免和外星人接触，更不要主动去探寻外星人是否存在。

霍金的警告使得人们开始重新审视人类和外星人的关系。迄今为止，人类还没有发现外星人存在的有力证据，这可能证明外星人的智慧和科技水平要远远高出人类，他们一旦发现地球有他们需要的资源，或者人类有可利用之处，就会毫不客气地入侵地球。到那时，面对科技水平远远超出自己的强敌，人类将毫无还手之力。

弊大于利的危险接触

反对者们认为，寻找外星人对人类来说是弊大于利的。人类对外星文明和外星生命的形式一无所知，因此外星人对人类来说可能是极其危险的存在。若是外星人的智慧和科技水平都远远超出人类，那么人类在外星人面前就像是手无寸铁的“婴儿”一样。在这种情况下，人类贸然地主动寻找外星人，无异于将自己赤裸裸地暴露于危机四伏的宇宙中，是一件得不偿失的事。

劳民伤财的无益投资

还有一些人认为，寻找外星人是一项需要花费大量人力、财力、物力的项目。迄今为止，人类还没有掌握任何关于外星生命存在的有力证据。在这种情况下，人类投入大量的资金去搜寻不知道是否存在的外星生命是极不划算的。这些反对者认为，人类应当首先确定是否有外星生命存在，再开始展开大规模的搜寻行动。

以逸待劳的等待计划

还有一种观点认为，如果宇宙中真的有外星生命存在，那么他们必然也向人类一样对宇宙中是否存在别的生命充满了好奇。因此，人类不需要费尽心思地主动寻找，只需要在地球上“守株待兔”，等待外星人的到来就可以了。

是人类的“小人之心”吗

也有人认为，外星人入侵地球的可能性很小。外星人的科技水平若是比人类落后，自然无法入侵地球；相反，外星人的科技水平若是远远高于人类，那么他们的社会文明程度也必将高于人类，他们也许早就放弃了无端的杀戮和入侵。因此，外星人会入侵地球只是人类的“小人之心”而已。

外星人到底会不会入侵地球呢？主动权似乎在外星人手中，也许外星人的出现会给人类带来灭顶之灾，也许外星人会带来来自遥远星空的和平信念，一切皆有可能！

看了这些观点，你是怎么想的呢？你认为人类到底该不该主动去寻找外星人呢？

影视档案馆

《宇宙骑士》是20世纪90年代日本制作的一部科幻动画。该剧讲述了未来外星生物拉达姆入侵地球，宇宙骑士奋力抵抗、保卫家园的故事。

外星生命的诞生需要哪些条件？

在寻找外星生命的过程中，最关键的问题就是“去哪里找”。在浩瀚无垠的宇宙中，若是毫无目的地搜寻，无异于大海捞针。因此，我们必须了解外星生命的诞生可能需要的条件，只有这样，才能够有的放矢地进行搜寻。

大小合适的行星

科学家们普遍认为，宇宙中恒星的温度过高，不适宜生命诞生，外星生命更有可能诞生在一颗行星上。这颗行星大小要适中，不能太小，也不能太大；同时，它的形态也要适合生命存在，例如，与气态星球相比，像地球一样的固态星球更适宜生命的诞生。

知识链接

美国航空航天局通过研究开普勒望远镜传回的数据发现，银河系中有很多行星具备生命诞生的基本条件，可能存在生命的行星有数亿颗。

重要的能量提供者

生命的诞生需要大量的能量，通常这个能量的提供者是一颗恒星，这就要求诞生生命的行星周围需要有一颗适合的恒星。同时，这颗行星和恒星之间的距离还要恰到好处，不论是过远还是过近，都有可能影响到能量的摄取。

必不可少的内在环境

除了合适的外在条件，星球本身的环境也是制约生命诞生的因素之一。通常，科学家们认为液态水是生命诞生的必备条件。星球表面的液态水能够帮助星球维持恒定的温度，更有利于生命的诞生。此外，合适的大气层、充足的矿物质元素等对生命的诞生来说，也都是有利因素。

依据自身的生存环境，人类对外星生命诞生需要的条件做出了种种猜测，这些猜测也许是正确的，也许不完全正确，但是我们只有不断地尝试和探索，才能够将更多的“未知”变为“已知”！

为何我们还没有找到外星人？

自20世纪中叶起，人类就开始在宇宙中寻找外星人，如今几十年过去了，人类依然没有发现任何能够证明外星人存在的有力证据。为何我们花了如此多的时间寻找地外文明，却依然毫无收获呢？

会“隐身”的外星人

一种推测认为，外星人具有超出人类的智慧和科技水平，他们能够很轻松地收集到人类的信息，同时也能够轻易“躲过”人类的搜寻，不论是电子信号还是宇宙飞船，都能被外星人屏蔽。因此，对人类来说，外星人就像会“隐身”一样，虽然近在咫尺，但是我们依然无法感知他们的存在。

超出想象的地外文明

地外文明和外星人的生命形式可能同人类截然不同，即使外星人和我们面对面站在一起，我们也无法判断这是一个外星生命。根据这种理论，人类其实早就接触过外星人，只是由于两个生命体之间的差距过大，远远超出了人类的认知水平，因此外星人才没有被人类发现。

阴差阳错

外星人可能并非和人类同时存在于宇宙中。也许在人类还未出现的遥远年代里，外星文明已经达到了顶峰；当人类开始搜寻外星生命时，他们的文明已经被毁灭了。人类和外星人就这样在时间的长河中错过了发现彼此的机会。

南辕北辙的搜寻

到目前为止，人类都是根据地球和人类的生存环境来搜寻可能出现外星人的星球，但是外星人的生存环境有可能和人类的完全不同，所以现在这种搜寻方式很可能是南辕北辙，用这种方式进行搜寻，可能永远都找不到和我们不同的外星生命。

知识链接

搜寻地外文明计划致力于用射电望远镜等先进设备来接收从宇宙中传来的数据，从中分析有规律的信号，希望借此发现外星文明。

如何联系外星人？

从20世纪中叶起，科学家们就开始不断地向宇宙发送信号，想要和外星人取得联系，但是外星人和人类是两种截然不同的生物，要想和外星人交流，就必须使用一种双方都能理解的方式，人类该如何解决这个问题呢？

数学：上帝书写宇宙的文字

伽利略

科学家们普遍认为：数学是和外星人取得联系的理想工具。著名的意大利天文学家、数学家伽利略曾说过：“数学是上帝用来书写宇宙的文字。”宇宙中的所有规律都可以使用数学语言来概括。

数学语言具有简洁、准确、抽象等特点，这些特点可以保证数学语言被远距离传播而意义不发生改变，所以使用数学语言和外星人联系能够最大限度地保证双方交流的效率。

图像：最形象的交流

图像语言也是人类同宇宙交流的主要方式之一。众所周知，图像能够形象生动地表达极为丰富的信息。以人类为例，即使语言文字完全不同的种族之间也可以通过图像来进行无障

碍交流，同外星人的交流也是如此。目前，已经有科学家将图像信息发往了宇宙，并且希望能得到外星人的回应。

音乐：献给外星人的演奏会

音乐常被认为是无国界的“语言”，那么在和外星人进行联系时我们能不能使用音乐语言呢？答案是肯定的。乌克兰的叶夫帕托里亚天文台就曾经举行过一场献给外星人的音乐会，科学家们将能够表达人类情感的音乐曲目发往了遥远的大熊星座。

实物：直观的人类“名片”

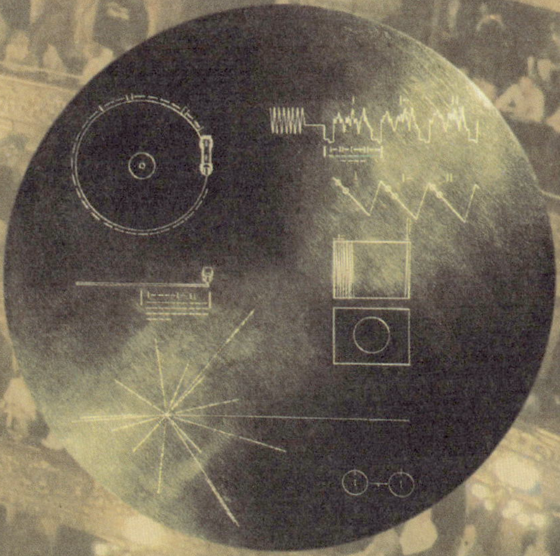

地球上的实物也可以用于和外星人交流，科学家们在这些实物上刻上了人类的信息，并且将其放在宇宙飞船上送上了太空。实物随着宇宙飞船在太空中翱翔，若是同外星人相遇，这些实物就会像人类的“名片”一样，向外星人展示人类的文明和科技。

为了联系外星人，科学家们进行了各种各样的努力和尝试。虽然目前还没有收到任何回复，但是我们相信，所有探索宇宙的努力都不会白费！

哪些星球可能存在外星生命？

茫茫宇宙中有很多星球，仅仅银河系中就有1000多亿颗行星。那么在这些数目繁多的星球中，到底哪些才最有可能存在外星生命呢？让我们先从身边的星球看起吧。

可能存在生命的星球之火星

在太阳系的八大行星中，火星是和地球最为相似的一颗行星。根据宇宙飞船发回来的照片显示，火星的表面有液体流过的痕迹，这证明了火星曾有大量的水，而水是诞生生命的重要条件之一。因此科学家们推测，可能有某种生命在火星上存在过。

可能存在生命的星球之土卫二

土卫二也叫恩克拉多斯，它是土星的一个卫星。天文学家们发现，土卫二上存在着水、热量和矿物质，它拥有在太阳系维持生命所需的一切成分，所以土卫二上极有可能存在生命。

可能存在生命的星球之木卫二

木卫二是木星的一个卫星，虽然地表气候非常寒冷，看上去不适宜生命存活，但是科学家们发现其外层分布着厚厚的冰层，冰下深处可能是一个液态的水世界；同时，在木卫二上还分布着一些火山，这些火山能够为生命的存活提供热量。因此科学家们推测在木卫二上可能存在着类似微生物的生命体。

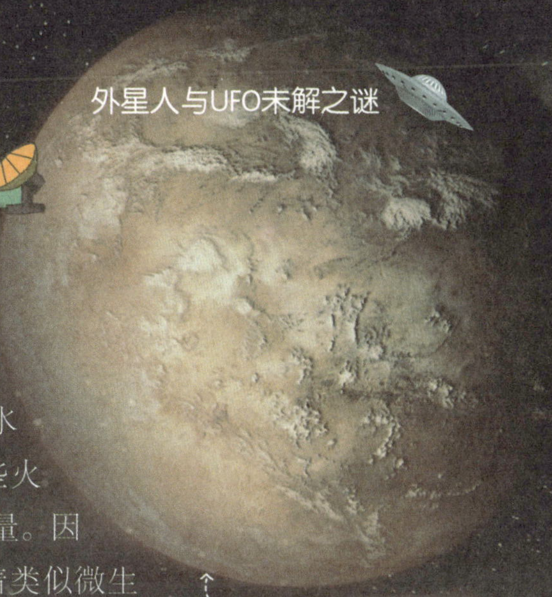

火星

可能存在生命的星球之土卫六

土卫六是土星卫星中最大的一个，它是太阳系唯一一个拥有浓厚大气层的卫星。大气成分主要是氮、甲烷、氢等，地表覆以水冰，与地球早期生命形成时的环境相似，因此科学家们推测土卫六上可能存在着生命。

可能存在生命的星球之Gliese-581d

Gliese-581d是银河系中的一颗行星，它的大小约为地球的三倍，同时天文学家根据它的位置和运行规律推测，这颗行星表面可能分布着大量的液态水，因此生命有可能在这颗行星上诞生。

木星

知识链接

射电望远镜是人类用于搜寻外星人的主要工具之一。它是观测和研究来自天体的射电波的基本设备，用来测量天体射电的强度、频谱及偏振等量，因此人类常利用它来观测宇宙中的异常电波。

外星文明的类型

在茫茫宇宙中，可能存在着许许多多的外星文明。虽然人类对这些外星文明一无所知，但是科学家们却对其有着诸多推测和猜想。现在就让我们一起来看看俄罗斯的科学家对外星文明的推测和分类吧！

一型文明：自给自足的低级文明

这类文明只能够控制自己所在的星球，利用自己星球上的资源自给自足。在这类文明中生长的生物在本星球上出生、成长、居住、死亡，他们不具备迁移到其他星球或者使用其他星球矿藏的能力。在宇宙中，这类文明属于最低级的文明，而目前人类的地球文明就属于这种低级文明。

二型文明：行星系内的中级文明

二型文明是指能够掌控整个行星系的文明。以地球为例，当人类的科技水平发展到一定阶段，人类可以自由地采集和利用太阳系内其他行星上的资源，并且能够在太阳系内随心所欲地进行“星际旅行”甚至“星际迁移”时，地球文明就发展成了中级文明。科学家推测，地球文明再经过几千年的发展就有可能进入二型文明。

三型文明：高级的星系文明

三型文明是宇宙中最高级的文明，这类文明不受自己星球位置的约束，整个宇宙都是它们的资源场，它们只要愿意，就可以探测到宇宙中任何一个角落的信号，也可以采集任何一个星球上的资源。可以说，三型文明中的生命体是宇宙中的强者。

根据这个理论，我们引以为傲的地球文明可能是宇宙中等级最低的一种文明。但人类探索宇宙的步伐不会停止，相信总有一天我们的地球文明会发展成二型文明甚至三型文明。

知识链接

有的科学家认为，人类目前还没有掌握外星文明存在的证据是因为地球文明处于宇宙中的最低层，以我们现在的技术水平，还无法发现二型文明和三型文明的存在。

二 世界各地外星人事件大搜寻

隐居地球的天外来客

好奇的你一定想过这个问题："外星人究竟在哪儿呢？为何我们还没有发现他们呢？"其实，也许外星人离我们并不遥远，在地球上可能就隐居着从其他星球而来的天外来客。

与世隔绝的古老部落

1987年，七名科学家在非洲刚果民主共和国进行科学考察时不小心在原始森林里迷了路。他们在四处寻找出路时，无意间发现了一个深藏在原始森林中的古老部落。这个古老的部落就像世外桃源一般，部落里的人从不与外面的人打交道。然而令科学家们感到奇怪的是，部落中的人的体形十分奇怪，乍一看，他们和普通人没有什么区别，但如果仔细观察，就会发现他们的脊椎骨十分

突出，在背后会形成突起，十分奇特。

超出常人的天文知识

科学家们在古老的部落中受到了热情的款待，他们决定在部落中休整一段时间再出发。在和部落里的人相处了一段时间后，科学家们发现这些人有着极其丰富的天文学知识，他们对宇宙的认识甚至超出了人类的认知水平！最特别的是，部落中的人对太阳系极为熟悉，不论男女老少，对太阳系所有的行星以及它们的运行规律都了如指掌。这个与世隔绝的部落是从哪里得到这些先进的天文学知识的呢？

埋藏数百年的惊天秘密

经过长时间接触，部落里的人才向科学家们透露了一个惊人的秘密：原来他们并不是地球人！几百年前，他们的祖先为了避难乘坐着宇宙飞船来到了地球，此后，他们就一直在这个原始森林里生活。

古老部落里的秘密终于被揭开了。后来，许多将信将疑的探险家都试图寻找这个神秘的部落，但是一无所获，似乎隐居在地球上的外星人并不希望被更多的人发现。

登上UFO的青年

1990年7月16日，埃及的开罗大学举办了一场奇特的新闻发布会，发布会的主角是一位叫作克利姆的青年，他称自己曾遇见了外星人和UFO，并且登上了这个神秘的UFO。

神庙山的奇遇

这位叫克利姆的青年是开罗一所电力学院的学生。1989年10月，他在艾斯尤特沙漠附近的神庙山跑步时，突然听到了一声尖锐的呼啸声。他立刻跑到高处张望，眼前的情景令他目瞪口呆，只见一个金光闪闪的飞行物降落在他面前。克利姆还没反应过来，就感到自己的身体变得轻飘飘的，等他再次回过神来时，自己已经身处UFO之中了。

UFO中的外星人

克利姆进入UFO后，出现在他眼前的是密密麻麻的线路和按钮等，在UFO的前方还有一块大大的屏幕。正当克利姆好奇地四处张望时，三个外星人出现在了他的面前，他们长着小小的头，长长的脖子，脑袋上有三只眼睛。这三个外星人把一个奇怪的仪器放在了克利姆的右手上，这时，UFO上的屏幕中突然出现了他的手骨照片，紧接着，外星人又把玻璃管放入了他的口中，紧张之下，克利姆将这些玻璃管咬碎了。外星人在用各种各样的仪器对克利姆进行了检查之后，便让克利姆沿着一束强光向前走，克利姆走着走着，忽然强光消失，克利姆发现自己重新回到了地面上，而UFO和外星人已经消失得无影无踪。

匪夷所思的能力

在接下来的日子里，克利姆发现自己突然拥有了很多让人匪夷所思的能力：他一靠近电视，电视机的信号就会受到干扰；他一离开，电视机的信号会重新恢复。同时，克利姆的口味也发生了变化，他开始食用玻璃、木头、金属和硬币，而且可以毫不费力地将这些坚硬的东西嚼烂咽下。

影视档案馆

《神秘博士》是英国的科幻电视剧。故事中的主人公博士是一位时间领主，他乘坐时间机器塔迪斯在时间、空间中旅行，并与他的搭档在时间、空间中悠游探索、惩恶扬善、拯救文明、帮助弱小。

扑朔迷离的真相

为了搞清克利姆事件的真相，科学家们专门成立了调查组对此事进行调查。他们发现在事发地并没有飞行物降落的痕迹，但是此处的射线剂量明显高于周围地区。因此，一些人开始相信克利姆的话，但是也有人怀疑这些事情都是克利姆的臆想或者是他故意编造的谎言。

对话六指外星人

1953年8月，在苏联的斯塔尼夫卡村里出现了一个奇特的球形飞行物，这个飞行物能够发出耀眼的亮光，它飞快地掠过村庄的上空，转瞬间就消失在了深山中。与此同时，村庄中一位老妇人遇到了三个拥有惊人本领的“奇人”……

苹果树下的三个“奇人”

事件发生时，这名叫作安德列耶芙娜的75岁老妇人正在井边打水，她抬头时发现不远处的苹果树下站着三个人，最初老妇人以为这是三个偷苹果的人，便冲着他们大嚷起来。这三个人听见声音，一齐转过身来，这下老妇人才看清楚，原来他们穿着奇怪的连体服，戴着手套，手中拿着像玻璃试管一样的东西，里面还装着青蛙和蜥蜴，这匪夷所思的场景让老妇人彻底惊呆了。

六指外星人来访

看到老妇人一副受了惊的表情，他们其中一个人立刻用熟练的俄语说："我们是外星人，是来这里找我们的同伴的——他们失踪了，他们应该没有死，他们也是三个人，没能回来。为了寻找我们的伙伴，我们已绕地球飞行了六圈。"为了让老妇人相信自己的话，他还把手上的手套摘了下来，露出了和人类截然不同的又白又大的手掌，最奇怪的是，他的手掌上长着六根手指。

外星人的忠告

吓坏了的老妇人急忙开始向上帝祷告，这三个外星人立刻表明了自己的友善，他们说自己的星球上是没有战争的，他们和其他三个星球之间经常互相帮助，从未有过冲突。但是这些热爱和平的外星人来到地球后，却发现"和平"在地球上十分可贵。这三个外星人忠告老妇人："我们知道你们正在打仗，这很不好。我们那儿从未有过战争。"

外星人离开之后，老妇人将自己的经历告诉了村中的其他人，但是大家对此事半信半疑。也许有一天，当人类文明发展到足以使战争不会发生的时候，这些热爱和平的外星人会再次出现。

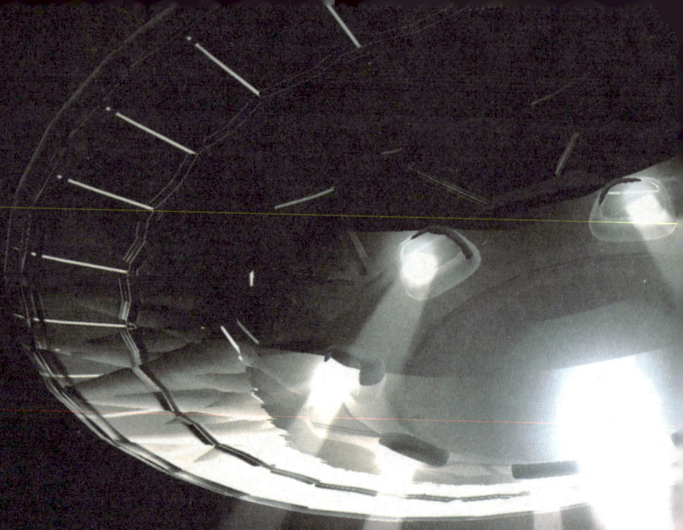

菲律宾救治的神秘“重症患者”

1991年，菲律宾三宝颜地区的一家医院被送来一位神秘的“重症患者”，这是一位受了重伤而奄奄一息的病人。当医生看见这个患者的长相时，不禁吃了一惊，原来这个患者是一个外星人！

美军送来的神秘患者

1991年6月的一天，美军的一架直升机降落在了菲律宾三宝颜地区一家医院的门口，很快，一个全身都被布遮盖起来的“重症患者”从直升机上被抬了下来。美军声称，这是一名意外中弹的患者。在美军的强烈要求下，这名“重症患者”被送入了VIP病房，同时，美军要求医院派出最好的医

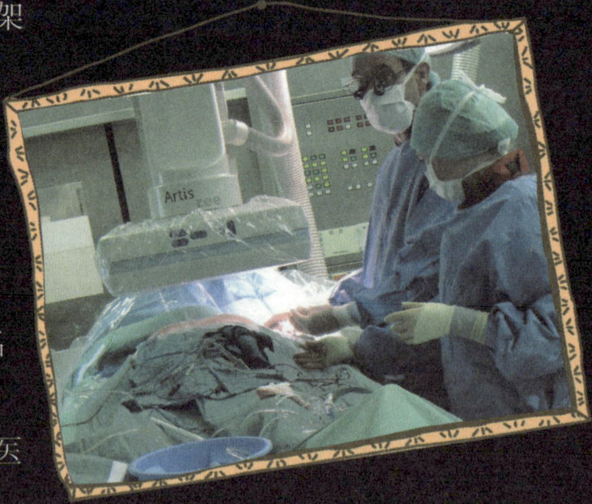

生为这名患者进行手术，更让人不解的是，美军还要求所有参与手术的医务人员都必须对患者的身份保密。

来去匆匆的病人

罗萨里奥教授是负责这场奇特手术的主刀医生。一开始他以为这名患者是美军的高层领导，但是当他揭开蒙在患者身上的布时，他顿时惊呆了：这名患者的身材十分矮小，但是手臂却非常长，一直到膝盖。更让罗萨里奥吃惊的是，全身检查的结果显示，这名患者居然没有心脏！由于患者生命体征已经很微弱了，情况十分危急，罗萨里奥来不及细想，就匆匆地取出了患者体内的子弹，并且给他进行了后续治疗。几个小时之后，患者的病情终于有了好转，这时美军立刻办理了出院手续，匆匆将患者抬上直升机离去了。

患者的身份之谜

美军离开之后，医务工作者对这名患者的身份产生了疑问：这个奇怪的患者是外星人吗？有人推测，在菲律宾附近的南太平洋上，美国空军可能和外星人驾驶的一架UFO发生了交火，在对抗中，UFO被美军击落，外星人也不幸中弹被捕。由于外星人的情况十分危急，美军才不得不冒着泄露秘密的风险将外星人送入这家医院进行救治。如果推测为真，那么最令人们好奇的就是：这个被救活的外星人现在在哪儿呢？

影视档案馆

《超时空接触》是美国的一部科幻片。片中的女主角爱罗薇从小就对外太空感兴趣，她相信外太空存在其他文明生物。长大后，她成了一名从事外太空生命搜索的专家。当美国政府决定进行一次接触外星人的太空之旅时，爱罗薇争取到了这个任务，但结局却出乎所有人的预料。

“高温”陌生人来访

1980年，在乌拉圭出现过两个神秘的陌生人，这两个陌生人看上去和地球人差不多，但是他们却拥有超出常人的体温，这体温甚至能把人灼伤。这两个奇怪的“高温”陌生人到底是不是地球人呢？

神秘来访的陌生人

1980年6月14日凌晨1点，乌拉圭一位叫胡安·费罗切·哈西奥拉的铁匠正在床上休息，突然他听见自己家门口有奇怪的响声，他推开窗户一看，只见门外不远处站着两个陌生人。铁匠觉得十分奇怪，就打开灯仔细观察，这才看清原来门外站的是一男一女，他们的年纪只有十六七岁，身材高大，头发卷曲，额头上有一道长长的疤痕，位于两眉之间，但奇怪的是，这两个陌生人都穿着奇特的灰色紧身衣。

不可思议的体温

紧接着，陌生人开始朝着铁匠家的门走过来，铁匠十分害怕，立刻将门紧紧地顶住，然而，这完全无济于事，陌生人毫不费力地就推开了铁匠家的门。为了避免这两个陌生人继续进入，铁匠立刻用手握住了其中一个陌生人的手腕。这时，火烧火燎般的疼痛从自己手上传来，这下铁匠才反应过来，原来这两个陌生人有着超出常人的体温，他吓坏了，惊讶地看着这两个陌生人。奇怪的是，此时陌生人也停下了脚步，铁匠借机赶紧把陌生人推出门外，把门紧紧地关上了。

莫名其妙的烧伤

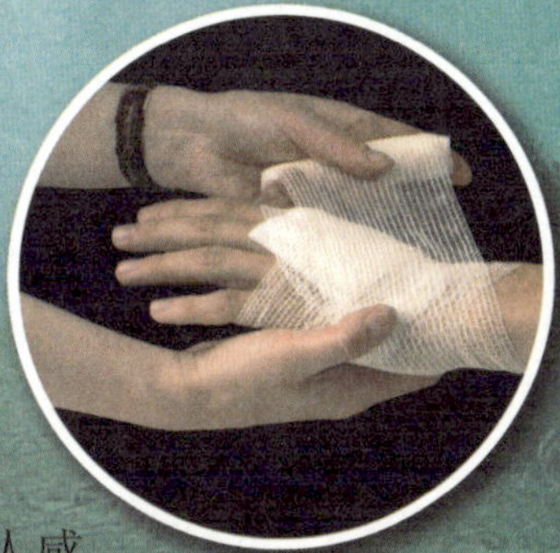

陌生人走后，铁匠发现自己的手上有很多烧伤的痕迹，这些伤口呈点状分布在手心中央。次日，铁匠将昨晚发生的事报告给了警方，警方找了一位专业的烧伤科医生为其治疗。医生诊断后指出，这些伤痕是由于手心接触到高温物体引起的，伤势并不严重，但是一般的烧伤都为片状伤痕，而铁匠的点状伤痕让人感觉很奇怪。

调查人员的结论

警方派出的调查人员在距离铁匠家不远的地面上发现了三个小坑，这些小坑看上去就像是某种物体的支架留下的。同时，铁匠也表示在事发当晚，自己家中的电量消耗极为惊人。这些调查结果表明，这两个高温的陌生人似乎是乘坐着UFO来到铁匠家附近的，UFO的降落影响了铁匠家的电力系统。但是外星人为何要进入铁匠家呢？为何他们又会突然离去呢？谁都不知道答案。

草原上的外星人遗体

外星人曾在地球上出现过吗？由于外星人总是来无影去无踪，目击者们大多也都是匆匆一瞥，因此很多人对外星人目击事件的真实性总是持怀疑态度。但是在一些外星人目击事件中，有些目击者看到了货真价实的外星人遗体。

草原上的不明飞行物

1950年，在阿根廷的潘帕斯草原上，一位叫塔博的建筑学博士在路边无意间发现了一个圆盘状的金属物体，好奇的他下车去查看，结果发现这个金属物体居然是一个坠毁的UFO。这个UFO的表面有许多透明的窗户，透过窗户，塔博博士看到其中有许多仪表和四个座椅，更让他吃惊的是，其中的三个座椅上居然有三具外星人的尸体！

不翼而飞的外星人

看到UFO里的场景，塔博博士大吃一惊，仔细观察后，他发现这些外星人和人类一样有眼睛、鼻子和嘴巴，头发为棕黑色，但是他们的皮肤

为深黑色，身高也比地球人矮许多。很显然，这些外星人是因飞船失事而死亡的，他们的尸体也早已变得僵硬。

第二天，当塔博和朋友再来寻找UFO和外星人时，发现这里已经空无一物，只剩下一地灰烬。他们好奇地抓起灰，结果手立刻变成了紫黑色。

久治不愈的怪病

回家后，塔博博士就患了一场怪病，他开始持续高烧，同时皮肤上也出现了原因不明的裂口。塔博博士到处求医问药，可是谁也说不出他这是什么病，更不要说医治了。此时，塔博博士才开始怀疑自己的怪病可能与草原上的经历有关。难道是外星人在作怪吗？

神秘的第四人

潘帕斯草原事件存在着许多疑点，其中最让人不解的就是，UFO中有四个座椅，可是却只发现了三具外星人的尸体，那么是否存在第四个外星人呢？如果真的有神秘的第四人，那他又去哪儿了呢？有人推测，UFO和外星人尸体的神秘失踪同第四个外星人有关，而塔博博士患上怪病，也有可能是这个幸存的外星人在搞鬼。

知识链接

杜朗诺克博士曾透露，1987年11月，一支考察队曾在沙漠中发现了碟形飞行器，在这个飞行器的舱内，科学家们还发现了十四具已变成干尸的外星人遗骸。

从天而降的外星婴儿

1983年7月的一天，一场突如其来的大爆炸袭击了苏联的一个小村庄，爆炸过后，一个神秘的金属球从天而降，而躺在金属球里的居然是一个奇特的外星婴儿！

神秘的大爆炸

1983年7月14日傍晚，一个红色的发光体出现在苏联一个叫索斯诺夫卡的小村庄，闪耀的红光将村庄照得通明，正当人们感到奇怪时，在一声巨响中，发光体被炸得四分五裂。后来，苏联军方对爆炸残骸进行了分析，他们发现这个UFO和几个月前频繁出现在苏联上空的UFO极为相似。

从天而降的婴儿

在对爆炸事件进行调查时，军方接到报告说有人看到从天上掉下来一个奇怪的东西，苏联军方立刻对目击者提到的地区进行了搜索。果不其然，他们在村庄附近的深山中找到了一个金属球，这个金属球的下方有几个细细的支架，球体上还有一个小小的门。军方立刻调来了全副武装的特

种部队，小心翼翼地打开了金属球的门，没想到在金属球中正躺着一个熟睡中的奇怪婴儿！

外星人的后裔

很快，这个从天而降的婴儿就被送到了苏联的研究中心。研究表明，这个婴儿正是外星人的后代，他的年龄大约1岁，身长66厘米，体重为11.5千克。这个婴儿没有眉毛和睫毛，眼睛为紫色，手指和脚趾之间长着蹼。进一步的研究表明，同地球人相比，外星婴儿的心跳较慢。更奇怪的是，外星婴儿从来不哭，也不笑，却对机械玩具异常感兴趣。

外星婴儿之谜

在UFO爆炸时，为了保护自己的孩子，外星人将婴儿送出了飞船，但可惜的是，由于救治无效，三个月后，这个从天而降的外星婴儿还是在人类的研究中心去世了。由于苏联军方的保密措施很严，我们不能得到与外星婴儿有关的更多信息，但是我们相信，总有一天，外星婴儿身上的所有秘密都会被公之于众。

高能特种部队

很多科幻电影里都有厉害的机械人，这些机械人不但力大无穷，无所不能，而且拥有超人的智慧，就像是高能的特种部队一样。你知道吗？在地球上竟有人看到过这种“机械部队”。

UFO上走下的机械人

1950年7月2日，两名游客在加拿大的海边度假。当他们在沙滩上休息时，突然感到周围的沙滩在震动，不久，一个碟形的UFO降落在了不远处。还没等他们从震惊中回过神来，UFO上就走下来几个人，这些人看上去和普通人类差不多，但是他们行走的样子十分奇怪，他们的关节不能自由活动，只能机械地转动，显得十分僵硬。这些人发现游客后，就立刻回到UFO，离开了。

天上来的特种部队

无独有偶，1977年8月31日，一个叫阿玛利奥的美国人也发现了几个机械人。当时，阿玛利奥正在回家的途中，突然发现路边的树林

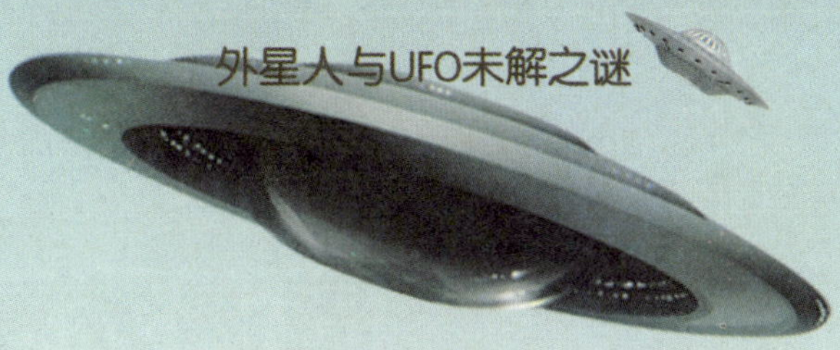

中隐约闪着奇怪的绿光，好奇的阿玛利奥来到了树林中，发现这些光是从一种奇怪的生物的眼睛中发出的。这种生物穿着连体衣，身高有两米多。看见阿玛利奥后，他们友好地比画着，接着又向上指了指天空，说明自己的来历。最后，这些生物慢慢地退回树林深处。这时，阿玛利奥才发现他们的膝盖无法弯曲，只能机械地移动，看上去就和机器人一样。

是外星人还是机器人

这些出现在地球上的生物究竟是什么呢？一种说法认为，这是一种外星人，这种外星人的移动方式和人类不同，在人类看来就像是机械人一样；还有一种说法认为，这些机械人其实并不是有生命的生物，而是外星人制造的智能机器人，外星人利用它们来地球上收集信息。不论真相究竟是什么，这些机械人都和外星智慧生物有着千丝万缕的联系。

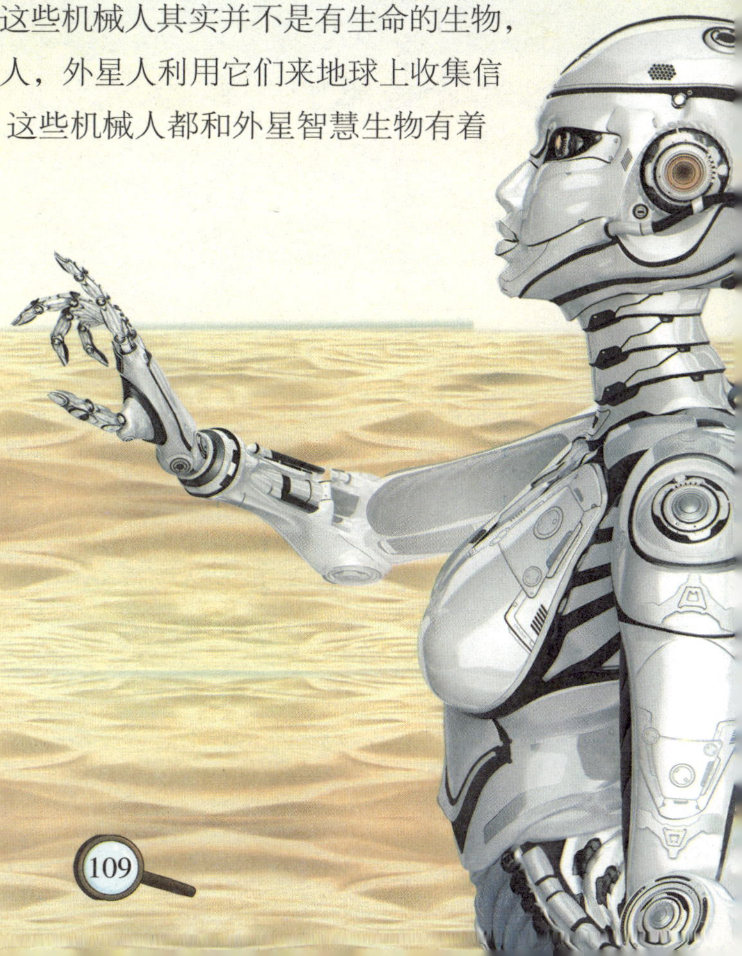

遭遇外星人劫持

1961年9月19日，美国新罕布什尔州朴次茅斯附近有一对夫妇在路上遇到了疑似UFO的飞行器，随后，他们神秘地失去了两小时的记忆。种种迹象表明，在这失忆的两小时中，这对夫妇正是被外星人劫持了。

夫妇路遇UFO

贝蒂和比尼是美国的一对夫妇。1961年9月19日晚上10点15分，这对夫妇驱车途经达兰开斯特时，忽然看见天空中有一个会发光的飞行器。一开始，这对夫妇认为那不过是一颗普通的星星，但是很快，他们发现这个发光体能够快速移动，他们下了车立刻使用望远镜进行观察，发现那发光体原来是一个碟状的UFO，UFO的周围还有彩色的光。

神秘失忆的两小时

发现是UFO后，贝蒂和比尼立刻逃回了车中，想要驾车离开。这时，他们感到了一阵眩晕，之后便失去了意识，当他们再次清醒时，已经过去了两个小时。醒来之后，这对夫妇发现自己身上发生了很多神秘的变化，本来崭新的鞋子突然变得破破烂烂，衣服也有被撕扯的痕迹。但是当他们尝试去回忆时，却发现怎么也想不起来在这两小时内发生了什么。

是梦还是现实

在事件发生后，贝蒂接连几天都做了相同的梦，在梦中，她和丈夫被抓入了UFO内。为了弄清真相，夫妇二人找到了美国著名的心理医生本杰明·西蒙，想要通过催眠来回忆起更多的事。在催眠中二人回忆起外星人将他们抓入UFO，梦境中的外星人长得和人类很像，有两只胳膊，两条腿。最主要的不同是，他们的眼睛很大，鼻子和嘴要比人类小。他们对比尼夫妇做了全身检查，他俩紧张极了，怕被活活解剖做标本。全部检查过程约两个小时，而这正是他们失去记忆的那两小时的全部内容。

在这次催眠治疗中，贝蒂绘制了一幅有关外星系的地图。她回忆起在那群外星人中有一个首领，他指着墙上一幅很大的图画，向她展示了一条令人兴奋的线索——暗示他们是从什么地方来的。

贝蒂回忆，她记得外星人用意念告诉她，墙上那幅图是星图。她就凭着记忆把这张图画了下来，后由西蒙医生刊登出去。这在当时遭到了人们的嘲笑，被认为荒诞无稽。

贝蒂和比尼在梦境中的回忆是真实的吗？有人认为这只是这对夫妇潜意识中的想象，也有人认为这些都是真实发生过的事。真相到底如何呢？可能连贝蒂和比尼自己都无从知晓。

可怕的植入手术

1995年8月19日，美国加利福尼亚州卡玛里罗医院的医生完成了一次史无前例的手术。手术中，医生从患者的体内取出了奇特的金属植入物，而这些植入物似乎和外星人有关。

人体内的不明物体

外星人植入物事件的主人公是卡玛里罗医院里两个奇怪的病人，他们宣称自己曾经被外星人劫持，想要取出外星人植入自己体内的不明物体。最初，医生们并不相信病人这些匪夷所思的描述，但是当他们对这两个病人进行了X光检查后却惊讶地发现，这两个病人的体内的确存在着神秘的不明物体。手术之后，医生从病人的脚趾和手上取出了三样特殊的金属物，这些金属物呈T字形，金属物的外层还包裹着一层黑色的薄膜。

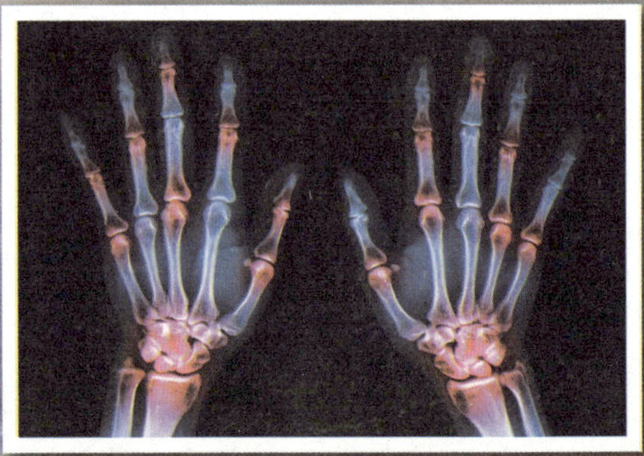

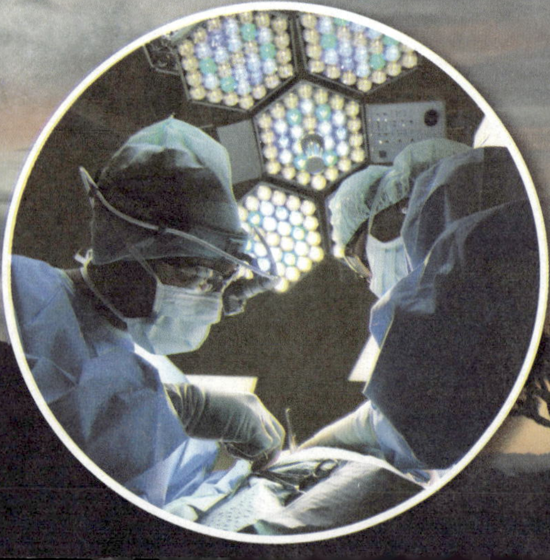

植入物从何而来

科学家们对这两位奇怪的患者进行了全身检查，他们在患者的皮肤上检查到了紫外线辐射留下的痕迹，这表明奇怪的植入物的确是有人故意植入病人体内的。究竟是谁做了这件事？是不是病人口中所说的外星人呢？科学家们又对取出的金属物进行了成分分析，发现其中含有十几种不同的元素，元素构成和天外而来的陨石极为相似。科学家由此得到了一个令人难以置信的答案，金属物的确是外星人植入的。

外星人想要干什么

外星人为何要在人体内植入这种奇特的金属物呢？有人认为，这些金属物是一种监控装置，它能够让外星人随时监控人类的行动，收集到他们想要的信息；还有人认为，这是外星人留在人体内的控制器，在需要时，外星人能够通过这个控制器来控制人类。

知识链接

X射线又叫伦琴射线，它具有很强的穿透本领，能穿透纸张甚至金属薄片。这种肉眼看不见的射线可以使荧光物质发光，照相乳胶感光，气体电离。

欧洲孤儿是外星人吗？

19世纪，德国曾出现过一个奇怪的孤儿，他来历不明却有着与众不同的魅力，更奇怪的是，他对地球上的所有事都感到陌生且好奇。一直到今天，都有人怀疑，这位欧洲孤儿其实是外星人。

拜访威塞尼西上尉的少年

1828年5月20日傍晚，一位看上去疲惫不堪的少年在德国纽伦堡的一个广场上突然晕倒，过路人发现他身上有写给威塞尼西骑兵上尉的信，就把少年送到了上尉家。信是收留过少年的人写的，信上提到这位少年叫加斯帕尔·豪萨，生于1812年4月30日，除此之外，收留者对少年的来历和其他经历一无所知。由于少年想要当骑兵，收留者就让少年来上尉家碰碰运气。

少年的异常举动

看到信后，上尉询问少年的来历，但是少年只会回答“不知道”。上尉只好将少年交给警察，但警察也问不出所以然，只好将少年关了起来。人们发现这个少年虽然穿得粗俗，但举止优雅，气度不凡。不过奇怪的是，少年除了水和面包，对其他美食都不屑一顾。更令人疑惑的是，这位少年似乎对地球

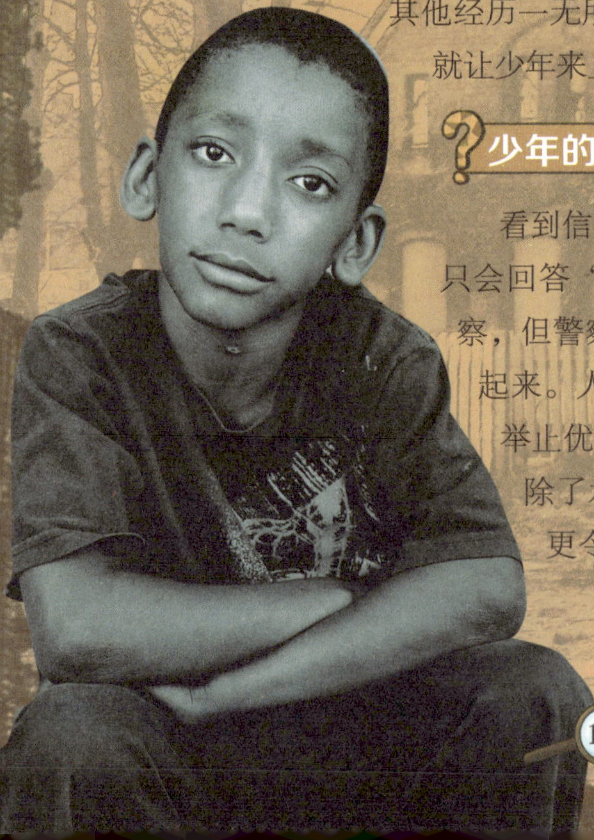

上的一切都很陌生，他不知道太阳和月亮，不知道昼夜交替的规律，甚至连彩虹都没有见过！

收养者的发现

古怪少年的事很快在德国传开了。一位叫道梅尔的教师对这位少年十分好奇，他把少年接回家收养，不但精心照料他的生活起居，还教给他许多知识。令收养者大吃一惊的是，这个原先什么都不懂的少年却有着超乎寻常的学习能力，不到一年，他的知识水平就已经超过了同龄人！渊博的学识加上优雅的举止，谁都不会将他和一年前那个落魄的孤儿联系起来。

意外身亡的悲剧

就在少年熟悉了地球生活后，接二连三的威胁出现在了他身边，最初只是警告，后来开始有人对少年实施刺杀。1833年12月14日，少年在公园中被一名男子刺杀身亡，欧洲孤儿的传说自此结束。

这个神秘的欧洲孤儿究竟是什么人呢？有不少人怀疑，他是一个外星人，为了避难才来到了地球，因为他之前从未来过这里，所以才会对地球上的一切都感到陌生。这个理论似乎解释了欧洲孤儿奇怪的举动和超乎寻常的学习能力，但是刺杀他的又是什么人呢？是从宇宙中追踪而来的敌人吗？这至今仍是一个谜。

地球上的外星人替身

你想过没有，也许在我们身边正“潜伏”着许多外星人，他们看上去和普通的地球人没有区别，但是实际上已经成了外星人的替身。这个想象是否让你毛骨悚然呢？一些证据表明，这也许不仅仅是想象。

秘鲁的外星人替身

1973年2月，秘鲁的库斯科镇有一个叫鲁卡特的人将自己的亲朋好友一齐邀请到了自己的餐馆中，并当众宣布自己其实是一个外星人！鲁卡特说他的家乡在一个叫作A6的星球上。20年前，这个星球的外星人绑架了地球人鲁卡特，并且将自己的内脏器官安在了鲁卡特的身上，从此他就作为外星人的替身在地球上生活，同时收集信息，现在他的工作结束了，即将返回自己的家乡。没多久，这位声称自己是外星人替身的秘鲁人就在小镇里神秘消失了。

好莱坞的外星人替身

美国好莱坞是全世界电影工业最发达的地方，这里也曾经“混”进过外星人的替身。当时好莱坞正在拍摄一部反映太空战争的科幻片，招聘特技演员时，其中的一位应聘者在试镜时，突然从口袋中掏出了一个微型的键盘，他在上面敲了几下之后，摄影棚的屏幕上便出现了宇宙中的点点繁星，随即一个UFO从空中飞来，长着绿色面孔的外星人也随之出现。拍摄现场的人全都惊呆了，人们立刻报了警，警方将这个奇怪的人关了起来，但是他却在监狱里神秘地消失了。种种迹象表明，这个特技演员的身体里住着的并不是普通的地球人，而是外星人的灵魂。

是外星人的阴谋吗

为何外星人要在地球上寻找“替身”？他们将自己伪装成地球人的样子到底是想干什么呢？大多数人认为，外星人之所以会这样做，是为了更方便地在地球上进行考察。但是也有一些人认为，外星人替身的任务可能不会如此简单，他们借地球人的面孔从事着不为人知的秘密活动。还有人大胆地推测，一些好战的人类可能就是外星人的替身，他们的目的就是要摧毁全人类。

神秘的“51区”

巨大的飞机库，白色的屋顶，地图上不存在的军事基地，扑朔迷离的外星人传闻……这些听上去都像是科幻电影中的场景。但是它却是美国真实存在的一个军事基地，这个军事基地的代号是“51区”。

扑朔迷离的军事基地

距离拉斯维加斯以北约130千米处的一个地区，数次被美国军方选中用于秘密实验，后来又被军方划为核武器实验地，当时这一地区在军事地图上的分区编号为51，因此这个军事基地也被称作“51区”。“51区”是美军最为神秘的军事基地，只有极少数的人被允许进入这个基地。更让人不解的是，在公开的地图上我们根本找不到这个军事基地，而且数十年来美国政府始终不承认它的存在！

神秘莫测的设施

根据航拍图，我们发现在“51区”内有许多长长的跑道，还有几个巨大的飞机库，这些飞机库的屋顶都被漆成了白色。最引人注目的还要数

禁区中的空中交通管制天线，高高的天线耸立在禁区内，为该地区增添了几分神秘感。这些神秘的设施有何用途呢？人们猜测，“51区”是研究UFO和外星人的基地，这些设施正是用来联系UFO和外星人的。

外星人的“展览馆”

在有关“51区”的传闻中，最神秘的还要数“绿屋”传闻。相传“绿屋”是美国用于保存外星人尸体和残留物的地方，相当于一个小型的外星人展览馆，而这个小型展览馆正位于“51区”中。据说，美国每一任总统任职时都要来“绿屋”进行巡视。

UFO和外星人之谜

根据目击者描述，“51区”曾多次出现各种形状的UFO，还有人曾在周边偶遇黑色皮肤的外星人。这些证据似乎表明，“51区”的秘密研究同UFO和外星人有着密不可分的关系。也许有一天，当外星人的秘密被揭开时，“51区”的研究结果也会被公之于众。

影视档案馆

电影《51区》是美国的一部科幻恐怖片。该片讲述了关押在51区地下三层的一批外星人趁着一群记者采访51区的时候，逃出51区，在上校和他的士兵的英勇抵抗和一个外星人的帮助下，这次危机终于被解除了。最后，51区被摧毁，而51区的秘密也被揭开。

残忍的外星人屠牛事件

2004年，美国曾发生了一起“屠牛事件”，事件中的牛被残忍地杀害，更奇怪的是，这头牛的眼睛、舌头等器官都被神秘取走。而这起惨绝人寰的事件背后的真凶似乎是外星人。

神秘死亡的牛

在美国内布拉斯加州，有许多大大小小的农场。2004年8月25日，牧民们像往常一样打算赶着牛群去放牧。但是，一件可怕的事打破了这个小城镇的平静。有牧民发现，朱尔延斯农场里的一头母牛死在远处的一个山谷里。在这头牛的尸体上有着像外科手术一般整齐精密的伤口，同时牛的眼睛、舌头、乳房等器官也都被神秘取走了。最令人疑惑的是，在现场没有发现一点儿血迹，似乎神秘的“凶手”拥有超凡的能力，不使牛流血就能取走牛身上的器官。

难以置信的调查结果

到底是谁对这头牛进行了如此残忍的虐杀呢？调查显示，尸体上的切口精密而且整齐，伤口被切开后周围变得坚硬，不会流出任何血液，凶手必定拥有超出人类医学水平的解剖技能。更奇怪的是，在发生屠杀的地方，人们找到了许多强磁性物质。同时，有当地人提到，在发生屠杀事件的前一晚，他们听见了像飞机一样的噪声，还有人看到了奇怪的亮光。这些证据似乎都表明，残忍的屠杀事件是外星人所为！

外星人的目的

外星人为何要残忍地屠杀这头牛，并且取走尸体上的器官呢？有人认为，这是外星人在对牛这种生物做研究，就如同人类在进行科学研究时会对实验的动物进行解剖一样，外星人也是在收集实验材料。也有人认为，这种外星人本身就暴虐成性，他们虐杀牛可能只是一时兴起，而尸体上的器官就是他们向同伴炫耀的战利品。

不论外星人的目的是什么，这残忍的虐杀事件都让我们毛骨悚然，在拥有超能力的外星人面前，人类就像手无寸铁的牛一般渺小。

知识链接

在英国什罗普郡也发生过类似的神秘虐杀事件。这次虐杀事件和美国的屠牛事件如出一辙，在事件中，当地许多绵羊的眼睛、舌头、大脑等器官被取走，这起事件也被认为是外星人所为。

乌拉尔神秘死亡事件

1959年，九名苏联滑雪探险者前往乌拉尔山探险，途中神秘死亡，其中一人头部被击伤，一具尸体的舌头被割走。调查结果显示，造成这起悲剧的真凶竟是一股“未知力量”，这股“未知力量”究竟是什么呢？

意外身亡的探险队员

1959年2月2日，苏联的九名滑雪探险者在乌拉尔山脉探险时神秘失踪。搜寻队在当地持续搜寻了两个多月才发现了这九名探险者的尸体。奇怪的是，这些探险者都是衣不蔽体，帐篷附近也十分凌乱，更让人不解的是，其中一人的头部有被击打的痕迹，而另一人的舌头也被神秘割走。从现场看，他们应该是遇到了可怕的事，惊慌失措，在逃跑途中死亡。

毫无头绪的调查

为了揭开乌拉尔山神秘死亡事件的真相，调查人员很快在事发地展开了调查。调查显示，探险者有的穿着袜子，有的光着脚，穿着内衣。其中

一人的手部有烧伤的痕迹，很明显，他们是由于某种原因不得不临时逃出帐篷。但奇怪的是，在事发地，除了被害者的脚印外，调查人员没有发现其他任何痕迹。在最终的调查结果中，调查人员写道："探险者死于强性未知力。"自此，官方对此次事件的调查告一段落，而相关文档也都按绝密存档。

疑云重重的猜测

自事件发生起，对于此事的猜测就层出不穷。一种说法是，当地的土著人认为探险队侵犯了他们的领地，因此实施了报复行动；另一种说法是，探险队是被隐藏在深山中的逃犯杀害的。不论哪种猜测都不能解释为何在事发地没有发现其他人的脚印。

三十多年后的真相

20世纪90年代，在乌拉尔事件发生三十多年后，真相才开始慢慢浮出水面。根据被解密的调查文档显示，当时的调查人员在尸体上发现了高剂量的放射性物质，同时在事发当晚，附近的居民看见天上有巨大的火球出现。这些证据都把事件的真凶指向了神秘的外星人，只有他们能够做到杀人于无形之中，而放射性物质就是他们在行凶时留下的痕迹。

1959年2月1日至2日的夜间到底发生了什么？为何外星人要对这几个探险者痛下狠手？这也许永远都是个谜。

追踪黑衣人的行迹

你看过电影《黑衣人》吗？在电影中，神秘的黑衣人是专门对付邪恶外星人的特殊警察；在现实生活中，神秘的黑衣人也常常出现在UFO目击者报告中。他们到底是什么人？他们又有何目的呢？

艾伯特的理想

艾伯特·K.本德是“国际飞碟社”的创始人，他曾对世界各地的UFO和外星人出现的信息进行分析，掌握了许多不为大众所知的UFO和外星人的秘密。他的理想就是解开有关UFO和外星人的谜团，让更多的人了解UFO和外星人。因此，在收集到许多第一手资料后，他决定将自己的研究成果出版，但是就在艾伯特准备出版事宜时，神秘的黑衣人出现在了他的家中。

神秘现身的黑衣人

当时艾伯特正躺在床上，突然一阵眩晕感袭来，迷迷糊糊中，艾伯特看见了几个黑衣人的身影。他们都穿着黑色的西装，打着黑色的领带，还戴着大大的帽子，从帽子底下，艾伯特只能看见他们发亮的眼睛。这些黑衣人十分严肃，他们要求艾伯特立刻放弃出版书稿，否则他将有生命危险。被黑衣人吓坏了的艾伯特不得不当着黑衣人的面忍痛销毁了自己的书稿，之后，黑衣人瞬间消失了。

黑衣人的警告

艾伯特并不是唯一一个见过神秘黑衣人的人。在世界范围内，许多UFO目击者都有过被黑衣人警告的经历。通常，黑衣人会在目击者看到UFO或者外星人后出现，他们的目的是强迫人类保守秘密。由于黑衣人总是来无影去无踪，而且总是用黑色来隐藏自己，因此从来没有人见过他们的真面目。有人猜测，黑衣人是军方派来的，他们的目的是避免秘密外泄；但是也有人认为，黑衣人其实就是外星人。但这些仅仅只是猜测。

影视档案馆

《黑衣人》是美国出品的科幻喜剧电影。影片中的故事发生在未来，由于宇宙战乱不断，大批外星人纷纷到地球避难。黑衣人作为专门对付外星人的特殊警察，致力于阻止邪恶的外星人对地球采取秘密入侵和破坏计划。

浓雾中的红脸怪物

在许多科幻电影中，我们看到的外星人都和人类有几分相似。但是，实际上外星人的外形可能和人类大相径庭，他们甚至有可能被不明真相的人类当成怪物！

降落在山上的火球

1952年9月12日19时15分，一个巨大的火球划过了弗吉尼亚州弗拉特伍兹镇的上空，落在了镇边的小山上。好奇的村民们结伴来到山里，想要搞清楚火球的真相，但是他们却发现熟悉的小山被一股神秘的浓雾笼罩着。这时，随他们一同来的狗突然变得焦躁不安，开始冲着前方狂吠，人们仔细观察才发现原来山上有一个红色的火球，这奇特的浓雾就是火球散发出来的。

浓雾中的红脸怪物

惊呆了的村民们停在了原地，谁也不敢上前，就在这时，恐怖的事情

发生了。村民们先是闻到了一股难闻的臭味，接着眼睛和鼻子开始感到难受。在浓雾中，有村民看见一个巨型的怪物朝着他们飘荡而来。有大胆的村民拿着手电筒一照，只见前方站着一个三米多高的怪物，他全身都是橙黄色，只有脸上是诡异的红色，他的头上戴着尖尖的帽子，还长着细细的爪子。吓坏了的村民们撒腿就跑，以最快的速度逃离了小山。

疑团中的真相

事发之后，村民们谁都不愿意再回忆起这次恐怖的经历，但是他们中间却有人出现了鼻肿、咽喉肿痛等症状，严重的甚至出现了呕吐和全身麻痹的症状。这时，村民们才开始怀疑，难道这些都和他们遇到的红脸怪物有关？有人推测自己看见的怪物并不是地球上的生物，而是外星人；红色火球就是外星人乘坐的UFO，为了避免人类发现他的秘密，红脸外星人释放了能够引发病症的毒气。

似乎只有外星人的说法才能够解释红脸怪物的疑团，那么这个长相奇特的外星人到底是从哪个星球来的呢？为何在其他的目击者事件中从未出现过这种类型的外星人呢？这是他们第一次来到地球吗？这一连串的问题还有待人们进一步去探索、研究。

土耳其艾西梅小镇的外星人

2001年，在土耳其西部乌夏克省的艾西梅小镇上出现了一个奇特的人，这个人全身都穿着厚厚的宇航服，只露出两只发亮的眼睛，更奇怪的是，他能够直接从地面跳到空中！

飞上天的小矮人

2001年一个周六的清晨，土耳其艾西梅镇的八个村民正乘坐着拖拉机去田地里，突然，道路上出现了一个奇怪的小矮人。这个小矮人的个子不足一米。就在距离小矮人20米远时，村民们乘坐的拖拉机突然莫名其妙地熄火了，村民们不得不下车步行。这时，那个小矮人突然向后跳了

起来，村民们想要追赶他，没想到他很快就飞到了空中，没多久就消失不见了。

目击者的描述

根据村民们的描述，这个神秘的会飞的小矮人身高有六七十厘米，他穿着一件灰色的连体服，脑袋上戴着圆圆的头罩，这件看上去像是宇航服的衣服把他包裹得严严实实，他只露出了两只大大的眼睛。还有目击者补充道，在小矮人的腰上还挂着一块黄色的牌子，他们推测这可能是表明小矮人身份的腰牌。

镇上突现奇事

就在村民们遇到奇怪的小矮人的同时，在艾西梅小镇上还发生了几件奇怪的事：当地的煤灰堆上出现了外人入侵的痕迹；在天空中飞翔的小鸟也突然从空中落下摔死。人们开始怀疑这些奇怪的事都是村民们遇上的小矮人制造的，而这个小矮人正是一个外星人。

艾西梅小镇的外星人事件发生后，土耳其官方立刻注意到了此事，他们调查后认为事件是真实的，并且将事件的相关信息发送给了美国太空总署及世界各地有名的UFO研究中心，请求派人至艾西梅小镇调查事件的真相。

知识链接

美国华盛顿大学曾在1998年9月启动一项由国家科学基金资助的研究生教育项目，该项目用于培养研究地外生命的博士研究生，这是人类首次将宇宙生命学作为一个研究方向。

会“定身术”的外星人

在我国的古代传说中，仙人会一种神奇的法术——定身术。你知道吗？在国外真的有一位农场主被“定身术”定住过，而对他施展“定身术”的竟是一个外星人。

农田里的小矮人

1965年7月1日，瓦朗索里农场的农场主莫里斯先生像往常一样去农田里工作。突然，一种奇怪的声音传了过来，这声音听上去就像是有人在用锯子锯金属一样。好奇的莫里斯先生顺着声音走了过去，一个令人匪夷所思的景象出现在了莫里斯先生面前：一架奇特的椭圆形UFO停在了农田中，UFO边还站着两个小矮人，这两个小矮人有着大大的头，嘴巴是个圆圆的洞，脸形与普通人完全不同，很丑陋，看上去可怕极了！

被定住了的农场主

看到长相恐怖的小矮人后，莫里斯先生害怕极了，他第一反应就是逃走，但是还没等他行动，一个小矮人就从自己身边的盒子里取出了一根管子，并且把它对准了莫里斯先生。几乎同时，莫里斯先生就觉得自己全身变得僵硬，他用尽全身的力气，想要移动自己的双脚，却动弹不得。直到小矮人离开半个小时后，莫里斯先生才可以慢慢活动。

“定身术”的后遗症

回到家后，莫里斯先生越想越觉得害怕，很明显，自己遇上的小矮人就是乘坐UFO而来的外星人，而且他们拥有许多人类无法与之抗衡的超能力，幸运的是，他自己仅仅是被定住了……但是事情并没有完全结束，从之后的第四天开始，莫里斯先生的身上就出现了许多异常现象，他开始嗜睡，能整整睡一天一夜也不醒来，此外，他的双手也时常无缘无故地颤抖，这种现象一直持续了好几个月。

知识链接

为了寻找地外生命，1999年5月24日，一个名为“相遇2001”的公司借助克里米亚半岛的叶夫帕托里亚直径70米的射电望远镜，朝四颗50光年－70光年远的类太阳恒星发射了一系列射电信号，这是人类第一次有意识地向类太阳恒星发射星际广播。

外星人所用的“定身术”到底运用了什么原理呢？也许只有等人类的科技水平发展到外星人科技水平的高度时，我们才能够搞清这背后的秘密。

和外星人同游宇宙

你有没有幻想过遨游太空呢？若是能坐上宇宙飞船，在茫茫的宇宙中旅行，该是件多么让人羡慕的事呀。20世纪50年代，就有一个幸运的人曾和外星人一起遨游了太空，我们一起来看看他有怎样的奇遇吧！

沙漠惊现UFO

乔治·亚当斯基是一位美国人。1952年11月20日，他和朋友正在沙漠中野餐，突然一个巨大的UFO从他们头顶飞过，这个UFO呈雪茄形，颜色为银色，没多久，UFO就在前方消失了。看见这一幕，他们都惊呆了，好奇的亚当斯基决定一探究竟，于是他辞别了同伴，孤身前往UFO消失的地点进行寻找，功夫不负有心人，没多久他就发现了降落在地面上的UFO。

和金星人的会谈

看见UFO后，亚当斯基立刻拿出了相机，想要拍照留念，这时一个外星人出现在了亚当斯基面前。这个外星人穿着连体服，身高比地球人稍矮了一些。外星人发出奇怪的声音，像是在和亚当斯基说话，可是亚当斯基却一句也听不懂。随后，外星人又使用心电感应的方式和亚当斯基进行交谈。交谈中，外星人提到自己来自金星，他来地球是为了调查核爆炸的危险性，随后外星人乘坐UFO离开了。

来自外星人的邀请

偶遇外星人的事件发生近三个月后，1953年2月18日，又有两名外星人找到了亚当斯基，他们邀请亚当斯基同自己一同前往一个神秘的地方。在好奇心的驱使下，亚当斯基接受了这个邀请，他随着两个外星人一同赶往沙漠，在路上他再次和外星人进行了交谈，知道了这两个外星人一个来自土星，一个来自火星。到达沙漠后，亚当斯基发现一个UFO已经在这里等他了，而站在UFO旁边的正是上次和他交谈过的金星人！

奇幻的宇宙之旅

接下来，亚当斯基乘坐着UFO进行了一次奇幻的宇宙之旅。在这里，他看见了浩瀚无垠的宇宙，在宇宙中，亚当斯基看见了许多发光的粒子，这些粒子就像萤火虫一样来回飞舞，十分壮观。之后，亚当斯基还在外星人的介绍下参观了UFO，UFO里有许许多多的线路，还有一块大大的屏幕，从屏幕上他能够看到UFO运行的轨迹。

几十年过去了，亚当斯基的故事还在流传，但是他的经历到底是不是真的呢？随着亚当斯基的逝世，这也成了一个谜团。

西班牙绿孩子之谜

我们都知道，人类的皮肤主要有黄色、白色和黑色，但是你见过绿皮肤的人吗？西班牙就曾经出现过两个神秘的绿皮肤的孩子，这两个绿孩子从何而来？为何他们的皮肤是绿色的呢？他们是外星人吗？

山洞里走出了绿孩子

1887年8月的一天，在西班牙一个叫班贺斯的小镇里，突然出现了两个奇怪的孩子。根据目击者回忆，这两个孩子是从当地的一个山洞中走出来的，他们长得跟人类一模一样，身上穿着不知是什么料子的衣服，最令人震惊的是这两个孩子的皮肤完全是绿色的！惊呆了的目击者试图和这两个奇怪的绿孩子进行交流，但是很快他们便发现这两个孩子说的语言和自己截然不同，也完全听不懂西班牙语！

绿孩子的来历

好奇的人们将绿孩子带回了家，并且为他们送来了食物和水，但是没多久，其中的一个孩子因为不肯吃当地的食物而去世了；另一个绿孩子则渐渐适应了当地的生活，不仅学会了西班牙语，还能够用简单的语句和人们进行交谈。在交谈中，绿孩子提到他们的家乡在一个没有太阳的地方，而他们出现在这里是由一场风暴造成的，他们被飓风卷起，醒来之后就已经在山洞中了。人们想要进一步打听绿孩子家乡的位置，可是这个绿孩子却始终无法说清。后来，这个绿孩子又活了五年，也去世了。

英国传说中的绿孩子

除了西班牙，英国也曾出现过绿孩子的传说。相传在11世纪，英国就出现过两个绿孩子。这两个绿孩子出现在英国的乌尔毕特地区，和西班牙的绿孩子相似，这两个绿孩子也曾经提到自己的家乡没有太阳。由此看来，在西班牙出现的绿孩子和曾经在英国出现的绿孩子来自同一个地方，但是这些绿孩子的家乡到底在哪儿呢？

绿孩子是外星人吗

有人推测，传说中的绿孩子正是外星人，他们生活的星球不在太阳系中，因此他们的家乡才会没有太阳。这些绿孩子之所以会出现在地球上，主要是源于宇宙风暴，巨大的风暴将这些外星人送到了地球上。但是也有人认为，这些绿孩子的家乡就在地球上，因为他们生活在看不见太阳的地下，所以才会形成如此奇特的皮肤。

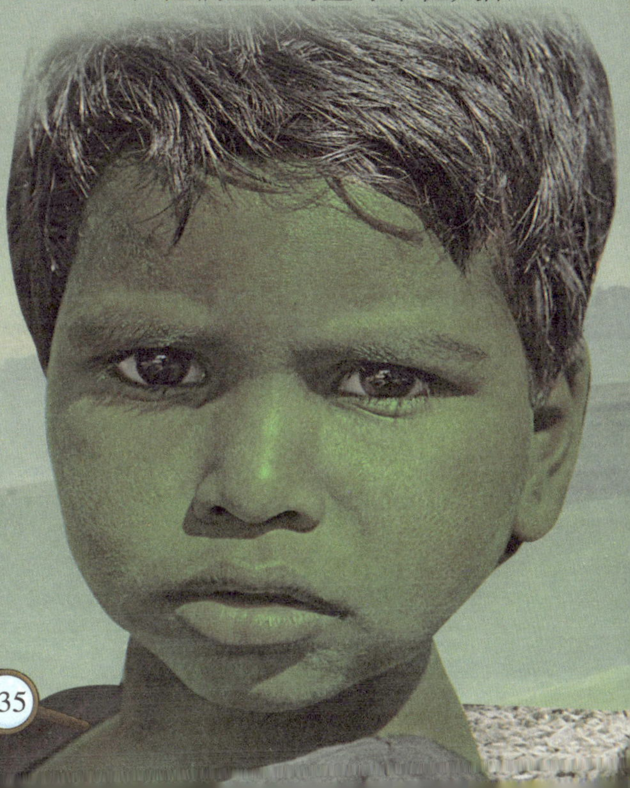

绿孩子究竟是来自宇宙的客人，还是地球深处的神秘人类呢？一切皆有可能。

神秘的海底人

海洋浩瀚无边，时而风平浪静，时而怒涛拍岸，让人摸不清脾气，探不清底细。在那蔚蓝的海面下，除了鱼、虾、贝等，有没有其他海洋生物？传说中的姆文明，究竟是消失了，还是存在着？那些突然消失的船员，是去世了，还是在大海的未知角落里继续生活着？

发现海底人

关于海洋的传说成百上千，其中最著名的当数海底人。神话传说中有美人鱼，科幻故事中有鱼人，现实生活中则有各种被抓拍到的海底人影像和目击报告。

1938年，在爱沙尼亚的海滩上，出现一个扁嘴巴、鸡胸脯、圆脑袋、趾间有蹼的生物。在见到人之后，它迅速跳进海里逃走了。

1958年，美国的罗坦博士在大西洋的海底发现类似人的足迹。

1968年，美国的水下摄影师穆尼在水下拍摄到一种奇怪的生物：脸长得像猴子，脖子是人类脖子长度的四倍，眼睛也比人类的眼睛大很多，腿部还有类似“推进器”的器官，可以瞬间游出很远。

1988年，在美国南卡罗来纳州的沼泽地里，突然出现一个怪异的生物，它身高达两米，眼睛红彤彤的，浑身披有绿色鳞甲，每只手只有三根手指，看起来就像是直立行走的蜥

蜴，人们称这种生物为“蜥蜴人”，说它们是从海洋爬到陆地上来的。

……

种种迹象表明海底人或许真的存在。

海底人假说

有人说，海底人是人类的分支。

近些年来，“人类来自海洋”的说法获得了越来越高的支持率。支持者说，人类至今还保留着海洋生物的痕迹，如爱吃盐、爱吃鱼、会游泳等。在漫长的进化过程中，一部分人从海洋来到陆地，进化成今天的人类；一部分人仍然留在海洋里，就是传说中的海底人。

也有人说，海底人是外星智慧生物。

持最后一种观点的人认为外星生物与地球生物共存，他们的智慧远超人类，可以在海洋深处自由生活。1902年发现的类似UFO的水下设备、20世纪传得甚嚣尘上的幽灵潜艇等，都是外星生物的“交通工具”。

当然，还有很多人认为海底人根本不存在，那只是人们无聊的臆想而已。

海底人是否存在？他们究竟是人类的分支还是外星人？目前，我们还无法找到准确的答案。

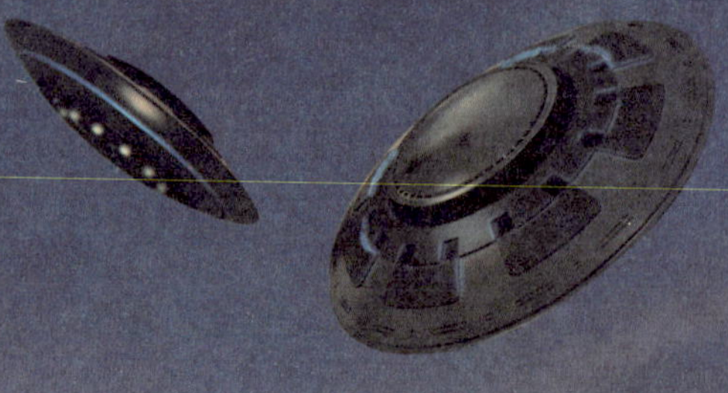

新几内亚岛的外星人挥手事件

新几内亚岛是太平洋的第一大岛，五十多年前，在这个岛上曾发生过一件让人匪夷所思的怪事：数架UFO飞过新几内亚岛的上空，当地的目击者不仅看到了乘坐UFO的外星人，还通过挥手和外星人进行了简单的交流。

天空惊现数架UFO

1959年6月27日傍晚，新几内亚岛东面的天空中突然出现了数架巨大的不明飞行物。最早目击到这些不明飞行物的是一位叫作亚妮洛莉·波娃的护士，最初波娃以为是自己看花了眼，发现UFO越来越多之后，波娃立刻通知了在附近居住的神父威廉·布斯·吉尔。随后，神父和波娃以及附近的居民目击到数架UFO从东边飞来，UFO越飞越近，并停留在了新几内亚岛上空距离地面约150米的位置。这时，目击者们看到几架UFO中

央有一个巨大的UFO，而它的两边则有数个小型的UFO，这些UFO的底部发出淡淡的橘色光芒，而UFO的上方则向空中射出了青色的亮光。最令他们惊讶的是，最大的UFO的顶端还出现了四个人影！

UFO上的挥手者

UFO上的四个人穿着奇特的紧身衣，在UFO上走来走去，好像是在修理东西。正当岛上的目击者感到惊讶时，UFO上的人也发现了他们，其中一个人探出头来，向下观看。紧张和恐惧笼罩着地面上的目击者，他们不知道这些身份不明的人接下来会做什么。这时，威廉神父开始尝试着向他们挥手，表明自己并没有恶意。令人惊讶的是，UFO上的人也开始挥手表示回应。人们纷纷学着神父的样子，向着天空中的UFO挥手，而UFO上的四个人也开始挥手回应。又过了几分钟，UFO上的人回到了UFO中，这些不明飞行物又闪着亮光离开了。

调查者们的结论

外星人挥手事件发生后，一位叫作克鲁特威尔的牧师来到新几内亚岛进行调查，他将威廉神父以及其他目击者的描述整理成一份完整的事件报告，并且将其发表在《英格兰的飞碟回顾》上。在外星人挥手事件发生14年后的1973年，美国著名的天文学家、美国空军“蓝皮书”计划的前顾问杰伊·艾伦·海尼克找到了克鲁特威尔，向他探听新几内亚岛外星人事件的细节。随后，他们一同来到了新几内亚岛进行调查，当时威廉神父已经调离了新几内亚岛，但他们还是找到了六位目击者，这些目击者再次声明了事件的真实性，并将事件的经过详细地向两位调查者进行了说明。经过反复的询问，调查者们确定了事件的真实性，他们断定目击者的确看到了空中的UFO。

真相是什么

虽然调查证明了事件的真实性，但是仍有人认为，没有证据表明这次事件和外星人有关。他们推测，在新几内亚岛出现的是军方的巨型飞行器，而目击者看到的人影并不是外星人，而是担任特殊任务的军方人员。但是也有人对这个推测提出了怀疑。他们认为，若这个飞行器是担负着秘密任务的军方飞行器，为何飞行器上的人会毫无顾忌地和地面上的人挥手致意呢？因此，UFO上的人很有可能是来外星人，这些外星人爱好和平，通过挥手向地球人表达自己的善意。

数十年前，新几内亚岛上的居民们看到的是不是外星人呢？真相到底是什么呢？现在还没有人能够给出答案。

探索·发现
——地外生命对人类的态度

若真有外星人的话，他们会怎么看待地球文明和人类呢？如果有朝一日外星人来到地球的话，他们又会如何对待人类呢？科学家们普遍认为，外星人对人类的态度可能有以下几种：

友好的和平使者

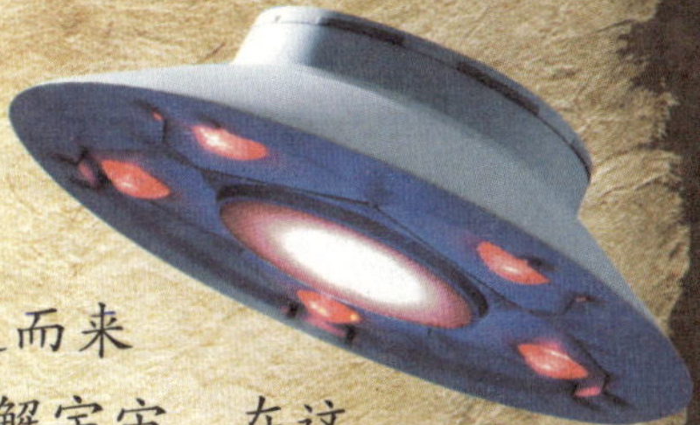

最好的情况是，拥有地外文明的外星人对人类十分友好，他们就像远道而来的和平使者一样，帮助地球人认识和了解宇宙。在这种情况下，人类和外星人将会和平共处，大家交流彼此的科学文化知识，一同创造和平、和谐的宇宙环境。

阴险的侵略者

外星人可能是来自宇宙的侵略者，他们企图掠夺地球上丰富的资源，所以他们从发现地球和人类的那一刻起，就开始策划侵略地球的方案。对人类来说，这种类型的外星人最为可怕，他们不但拥有超高的科技水平，而且用心险恶。

不屑一顾的“神”

外星文明的发展水平若是远远超过了人类，那么外星人对人类可能是毫不在意和不

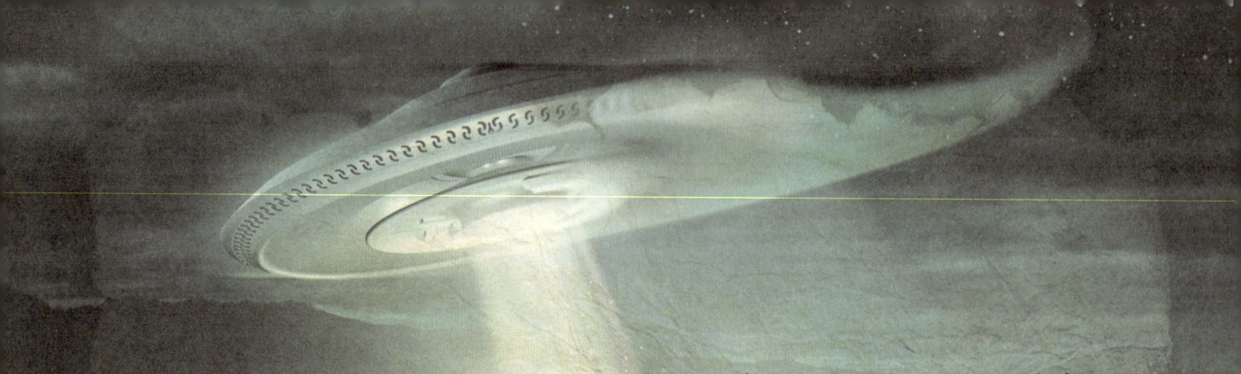

屑一顾的态度。对这种类型的外星人来说，人类只是一种完全无足轻重的生物，人类引以为傲的文明在他们眼中只是可笑的低级文明，而人类的死活同他们也毫无关系。

你死我活的竞争者

外星文明的发展水平若是和人类相似，那么这两个文明就可能形成相互竞争的关系。在这种情况下，外星人会把地球人当作竞争对象，他们会密切地关注地球上各个方面的发展状况，如果他们的发展水平超过了地球，他们就会毫不犹豫地对人类发起进攻。

又敬又怕的崇拜者

外星文明的发展水平若是远远落后于人类，他们对人类就会持又敬又怕的态度。一方面，他们会崇拜地球人创造的辉煌；另一方面，他们也会害怕地球人会侵占他们的星球。

第三章

奇异诡谲的UFO

一 你对UFO了解多少？

UFO事件简介

随着越来越多的UFO神秘事件的出现，UFO这个词也越来越多地出现在我们周围。相信你一定对UFO很好奇吧，那就让我们先一起来认识一下UFO吧！

UFO是什么

UFO是英文“Unidentified Flying Object”的缩写，翻译成中文就是不明飞行，它的本义是指空中所飘浮的来历不明、性质不明、空间不

明、结构不明的物体。由于近年来人们发现的不明飞行物都同外星而来的宇宙飞船有着千丝万缕的联系，因此，越来越多的人开始直接用UFO来形容来自其他星球的宇宙飞船。

UFO事件的特点

在世界范围内出过许多UFO事件，这些事件充满了神秘的色彩。我们若是仔细研究这些UFO目击者报告，就会发现这些神秘事件背后有着许多共同点：首先，所有神秘事件中的UFO都能够超速运行、瞬间移动，以人类目前的知识水平还无法解释这些UFO运行的原理；其次，绝大多数目击者报告中拍摄到的UFO无发动机声音，甚至可以说其运行是完全静音的；最后，UFO出现时可能产生超强的磁场，附近的动物都会出现异常的行为，例如猫狗不停地大叫等。

困扰科学家的UFO事件

目前，全世界有近三分之一的国家展开了对UFO的研究，许多世界上著名的研究机构都拥有专门的UFO研究中心，这里聚集着许多专家，如天文学家、生物学家、物理学家、历史学家等，这些专家想要运用自己所学的知识来搞清UFO神秘出现的真相，但是迄今为止，他们还没有达成共识。

神秘出现的UFO究竟从何而来？它们又承担着怎样的使命呢？这些疑问还需要人类继续去探索和研究。

UFO热的首次出现

UFO事件在世界各地都引起了热烈的讨论。不论是民间还是科学界，都开始研究UFO出现的原因、目的等，探讨其背后隐藏着的秘密。可以说，世界范围内兴起了一股和UFO以及外星文明有关的热潮，那么到底是什么事件引发了这股热潮呢？

一百多年前的神秘事件

最早有明确记载的UFO事件发生于一百多年前。1878年1月，美国得克萨斯州一个叫作 J．马丁的农民正在农田中劳作，他无意间发现一个黑色的小点出现在天边，并且正快速地向着自己所在的方向移动。这个奇怪的物体是什么呢？好奇的马丁停下了手中的农活，专心致志地盯着空中的物体，它越飞越近，马丁终于看清了它的真面目，原来这是一个会飞的圆形物体！

看到一个圆形的物体在天空中飞来飞去，这个叫马丁的农民彻底惊呆了。要知道，1878年飞机还没有发明出来，当时的人们从未见过可以在天上飞行的机器，但是马丁却真真切切地看见了一个会飞的物体，这多令人惊讶！怀着好奇和激动的心情，马丁将自己的经历告诉了周围的朋友，由于人们

从来没有听说过这种奇事，因此，这件事越传越远，甚至传遍了整个美国。当时有很多家报纸报道了马丁的这次奇特经历，而这个圆形的UFO和马丁一起引起了人们的关注。

“飞碟”横空出世

会飞的圆形物体到底是什么呢？它没有翅膀却能够像鸟一样在空中飞翔。接二连三的问题被提出来，没有人能够回答这些问题，因此有人开始怀疑这一切都是马丁在说谎。但是马丁只不过是个连书都没有读过几年的农民，若不是亲眼所见，他又怎么会想象出如此超时代的物体，而且将它描述得活灵活现呢？人们开始相信马丁所说的正是他的亲身经历，而天空中的飞行物是一个从未被记载的神秘物体。因此，当时的科学家们就给这种不明飞行物起名叫作“飞碟”，持续至今的“飞碟热”拉开了帷幕。

知识链接

有许多不明飞行物的研究者宣称，历史上曾发生过许多起不明飞行物在地球表面坠毁的事件，但有关国家在这类情况发生后均将其列为最高机密，并迅速封锁了有关消息。

关于UFO的争论

自从UFO事件出现以来，关于UFO和外星人的争论就没有停止过。世界各地的科学家和UFO爱好者都参与了这场旷日持久的争论，重重的谜团使得UFO事件更加扑朔迷离。

认为UFO不存在

没有人真正见过UFO

在UFO事件中，最大的疑点就是目击者说法的真实性。尽管目击者们将自己的经历描述得十分详尽，但是仍然有人对这些描述提出了怀疑。怀疑者们认为，尽管目击者总是描述得活灵活现，但是大多数目击者并没有拍到UFO出现的照片，而少数目击者拍到的照片也都极为模糊，因此，没有人能够提供确凿的证据来证明UFO的存在。

UFO事件是人的幻觉

一些心理学家认为，许多人看到的神秘UFO可能纯属幻觉。根据心理学的理论，人的大脑有时会产生不明原因的幻觉，在这种幻觉的驱使下，人会出现幻听、幻视等现象，因此心理学家认为UFO目击者所看到的神奇景象正是神经系统产生的幻觉。

UFO和外星人没有关系

还有一些科学家认为，目击者所看到的UFO是真实存在的，但是并没有直接的证据可以证明这些UFO和外星人有关。这种观点认为，UFO可能是一些较为明亮的行星，或者是人类发射的人造卫星或运载火箭的碎片、零件。当这些飞行物出现时，人们会不自觉地将其和神秘的地外文明联系起来，实际上目击者所看到的UFO和外星人并没有什么直接关系。

不为人知的自然现象

一些科学家认为，目击者所看到的UFO异象并非一种飞行器，而是人类不能识别的自然现象，例如地震光、自然界污染所导致的气流变化、地球放电效应所产生的亮光等。这些自然现象并不常见，人类对它们的认识极少，因此它们出现时常被人们误认为是不明飞行器。

目击者的误认

还有一种观点认为，UFO是地球上存在的物体。目击者对这种物体并不熟悉，因此就会误将其当作UFO，例如人类制作的火箭、人造卫星、军事实验飞行器的零部件、降落伞、秘密武器等。

认为UFO存在

地外文明的产物

最为流行的解释是：UFO是地外生物制造的宇宙飞行器。外星人可以乘坐着它进行星际旅行，它进入地球上空时会被目击者看到。由于这种飞行器的运行速度极快，所以大多数人都会错过它的出现，只有幸运的人才能捕捉到它的身影。

未来人的时空机器

还有一些人认为，UFO并非地外文明的产物，而是地球的产物。UFO可能是地球上的未来人类制造出的一种时空穿梭器。未来人可以乘坐这种时空穿梭器进行时间旅行，所以目击者看到的并非外星人的飞行器，而是地球上的未来人进行时间旅行时乘坐的机器。

神秘的地球智慧生物

有人认为地球上还生活着别的智慧生物，这种智慧生物的文明程度远超出人类，人类还没有发现他们的存在。他们能够制造出超出人类科技水平的飞行器。还有人推测，这种智慧生物并非生活在地球表面，而是生活在地心。

到底哪种解释才能揭开UFO的真相呢？你更相信哪种解释呢？快和小伙伴们一起讨论一下吧！

知识链接

UFO具有一些反物理的特性：1.它能灵活地钻入地下；2.它可以在地面上呈模糊状态或者透明状态；3.它能同一个透明飞行体合二为一；4.它能够突然消失，又突然在其他地方出现；5.人眼可以看到它，但雷达却没有办法监测到它。

UFO是从哪里来的？

对UFO爱好者来说，最困扰他们的问题不是UFO是否存在，而是UFO的来历。神秘莫测的UFO到底是从哪里来的呢？它们是来自遥远的宇宙中不知名的星球，还是人类所不知道的神秘空间呢？对此科学家们有着许多推测。

其他星系的飞船

人们普遍认为，UFO不可能来自太阳系内的其他行星，因为人类对这些行星的研究已较为深入。到目前为止，人类还没有在这些行星上发现生命的存在。那么UFO会不会是从遥远的其他星系来到地球的呢？有科学家根据目前人类科技所能达到的水平进行了推测，即使从距离太阳系最近的星系到达地球，也足足需要几十万年之久，若UFO真是从宇宙中的某个星球而来，那它们在到达地球之前已经经历了几十万年甚至数百万年的时间！

平行世界的来客

有物理学家推测，我们所生活的世界并非宇宙中唯一的空间，在我们的世界附近可能存在着一个神秘的平行世界。这个平行世界可能距离我们非常近，也许它就存在于我们所生活的世界的周围，但是依靠目前的科技水平，人类还不能感知它的存在。依据这个理论，有人推测UFO正是来自于我们周围的平行世界，当时空发生扭转时，两个本来独立的平行世界之间就会发生物质交换，来自另外一个世界的飞行器就会突然闯入我们的世界，这也解释了为什么UFO总是来无影去无踪。

来自未来的“旅行者”

还有一些科学家认为，UFO来自数百年甚至数千年之后的未来世界。随着科技的发展，在未来的某个时期，人类已经可以来去自如地在过去和未来间随意穿梭。未来人便乘坐着先进的UFO回到了现在，他们一方面是借此向自己的祖先展示先进的发明，另一方面也是对人类发展的历史进行调查研究。

不论UFO来自哪里，我们唯一可以肯定的是，制造UFO的生物一定拥有比人类更高的智慧和科技水平，至于这种生物来地球的真正目的到底是什么，我们不得而知。

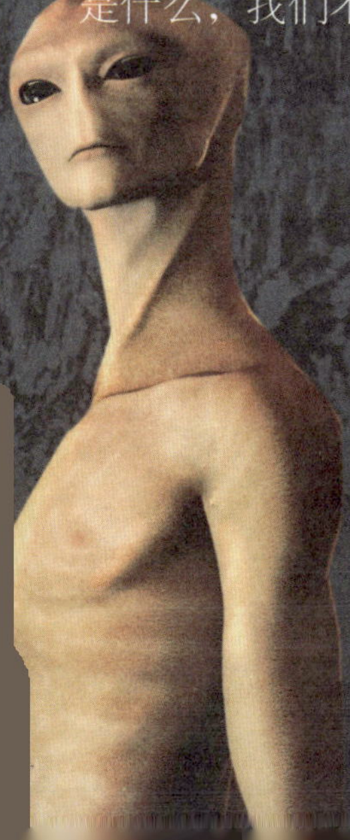

知识链接

许多UFO爱好者认为，UFO最有可能来自于天狼星的伴星。天狼星是一颗距离地球约8.6光年的恒星，比太阳大很多。而天狼星的伴星是一颗白矮星，也属于恒星。天狼星和这颗白矮星都在偏心率颇大的轨道上相互绕转，绕转周期是50年。

访问地球的UFO类型

迄今为止，在世界范围内已经有数百份有关UFO事件的报告，在这些报告中出现的UFO，其形状、大小各不相同。你知道这些UFO都是什么样子吗？不同类型的UFO又分别有哪些功能呢？以下是目击者报告中出现的几种UFO的类型。

类型一：微型无人探测机

这种类型的UFO体形较小，直径通常在30厘米以下，形状多为圆形、球形和棍形。由于其体形微小，它往往通过门或者窗户飞入房间。科学家们推测，这种迷你型UFO是外星人制作的微型无人探测机，它的目的是探测和收集地球上有用的资料，并且通过随身携带的仪器将收集到的信息传输回自己的星球。

类型二：小型侦察机

这种类型的UFO通常为圆形或者碟形，它的直径通常都在1米到5米之间。同微型探测机相比，这种类型的UFO体形相对较大，因此科学家们推测这是外星人的一种小型侦察机。外星人的“侦察兵”会乘坐这种类型的UFO来地球进行实地的侦察和勘测，目击者报告中也提到，这种类型的UFO出现的同时，有疑似外星人的身影，这也证实了科学家的这种推测。

类型三：标准型联络飞船

这种类型的UFO多为圆盘形，它的直径多在10米以上。在目击者报告中，一些地球人被绑架的事件发生时会出现这种类型的UFO，因此科学家推测这是外星人的标准型联络飞船。外星人通过这种类型的UFO进行地面调查，同时它也负责联络地球上的微型探测机和小型侦察机。

类型四：大型母船

这种类型的UFO体形极为巨大，直径多在几百米，而它的形状以圆筒形及圆盘形为主。在目击者报告中，这种类型的UFO通常只在空中出现，目前，还没有其降落到地面的目击者报告。有专家推测这是外星人的

大型母船，因为其体形巨大，可以携带大量的燃料和能量，所以它的主要职责是携带其他类型的UFO来地球。

其他类型的UFO

除了以上来自目击者报告中的UFO类型，一些体形特殊的UFO也曾经来到地球，例如外形和人类的直升机极为相似的UFO和云朵形状的UFO等。这些UFO和我们提到的UFO是否来自同一星球？它们又有哪些特殊的任务和功能？让我们一起期待这些谜团能早日被解开吧！

影视档案馆

《独立日》讲述了外星人乘坐着巨大的母船来到地球大气层，并且释放了数十个小型UFO，使其入侵地球的故事。故事中的科学家和军队通力合作，阻止了外星人的进一步入侵，保卫了自己的家园。

UFO有哪些不同的形状？

提到UFO，你会想到什么形状呢？是不是像碟子一样的圆盘形呢？的确，圆盘形是UFO最常见的形状。实际上，到目前为止，人们发现的UFO除了圆盘形还有许多其他的形状呢！赶紧来看一看吧。

圆盘形UFO

圆盘形是UFO最常见的形状，圆盘形UFO就像是两个倒扣在一起的碟子，由于最早被发现的UFO属于这种类型，因此这也是“飞碟”这个名字的由来。人们普遍认为，大多数飞碟呈圆盘形，主要是由于这种形状的飞行器在运行时所受到的空气阻力最小，因而飞碟能够达到最大的运行速度，还能增强灵活性。

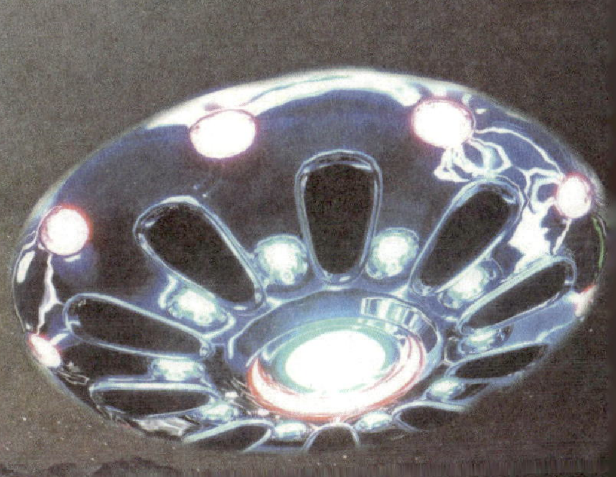

球形UFO

球形UFO是一个完整的球体，它在运行时通常伴有亮光，所以在目击者看来就是一个球状发光体在天空中运行。球形UFO在世界各地均有出现。据报道，2015年，日本大阪上空就出现了十个球形UFO。

飞棍形UFO

飞棍形UFO远远看去就像一根长长的棍子，也有人说像是一根雪茄，所以这种形状的UFO也被称作雪茄形UFO。有关飞棍形UFO的目击者报告最早出现在20世纪50年代。1958年，一个叫詹姆斯的美国人无意间用自己的红外线摄像机拍到了运行的飞棍形UFO。

螺旋形UFO

螺旋形UFO是呈螺旋状的发光飞行体，这种UFO的中心部位最亮，随着螺旋纹路的展开，亮度逐渐降低，但是整个飞行体的轮廓均清晰可见。我国的古书中就有疑似螺旋形UFO的记载，如《晋书》中就有对不

明飞行器的描述：白者曲环如车轮。近几十年来，螺旋形UFO频繁出现于我国上空，在北京、成都、新疆、内蒙古、甘肃等地都曾出现过。

扇形UFO

扇形UFO类似于我们日常生活所用的扇子，它通常由一个明亮的发光体和一个扇形的“尾巴”组成。在俄罗斯的西伯利亚地区、日本神户、我国青岛等地，都有人看到过扇形UFO。

除了这几种常见的UFO，人类所目击到的UFO还有纺锤形、三角形、光团形的等。为何UFO会采用这些形状？为何UFO的形状和人类制造的飞行器大相径庭呢？目前还没有人能够回答这些问题。

UFO为什么总是带有神秘的光束？

你有没有对UFO的光束好奇过呢？大多数目击者报告中提到的UFO都带有神秘的光束，这些光束五颜六色。更为奇特的是，UFO所发出的光束极为耀眼，甚至可以将黑夜照得通明，仿佛白昼一般。为什么UFO总是伴随着光束出现呢？

我们只能看见发光的UFO

一种说法认为，并非所有的UFO都会发出光束。UFO的运行速度极快，所以只有发出光束的UFO才能被目击者注意到，并且被记录下来。大多数人认为，访问过地球的UFO数量极为庞大，人类能够发现的只是其中的一小部分，而带光束的UFO因其外形显眼，因此容易被看到。除此之外，还有许许多多“隐形”的UFO未被人类发现。

靠光能运行的UFO

也有一种说法是，光正是UFO运行的动力。目击者看到的带光束的UFO都处于高速运行之中，因此有人推测外星人的UFO正是以光作为能量来运行的。但是以人类目前的科技水平，还不能解释用光来驱动飞行器的原理，也许这正是具有高等智慧的外星人掌握的一种新技术。

电磁粒子流的结果

还有人认为，UFO发出的亮光并非人类传统意义上的光，它是一种特殊的电磁粒子流。在这种推测中，UFO是靠电磁波的驱动来运行的。在运行的过程中，电磁波释放出大量的电磁粒子，这些电磁粒子共同组成了闪亮的光束。因此光只是UFO在运行过程中的副产物。

到底哪种说法是正确的呢？也许这些猜想都不能解释UFO会发光的真正原理。但只要谜团没有被揭开，猜想就永远不会停止。

UFO造访地球的目的

对于UFO爱好者来说，最让他们困惑不解的可能就是UFO造访地球的真正目的是什么。外星人为何要派UFO来到地球？对人类来说，UFO越来越频繁的造访到底是好事还是坏事呢？让我们一起来猜猜吧。

地球“入侵者”

关于UFO造访地球，最流行的猜想是：这是星际战争的前兆。在这种猜想中，外星人是心怀叵测的入侵者，他们想要入侵地球、消灭人类，从而占领地球。UFO正是这些外星侵略者派出的侦察机，当UFO收集到足够的信息后，外星人就会发动星际战争，开始入侵地球。

想要“搬家”的外星人

有人认为，造访地球的UFO是带着寻找“避难所”的目的来到地球的。外星人的星球被其他生物入侵，或者遭到了巨大的破坏，不再适宜居住，因此他们不得不重新开始寻找新的“居住地”。UFO就是外星人用来探测和侦察其他星球的工具，地球只是他们侦察的星球中的一个，一旦发现适合居住的星球，他们就会乘坐着宇宙飞船搬过去。

寻找智慧同伴

也有人认为，就如同人类使用了各种各样的手段来寻找宇宙中的其他智慧生物一样，外星人也从未停止过探索宇宙的步伐。UFO就是外星人为了寻找智慧同伴而派出的探测器，这些探测器在宇宙中穿梭探寻，最终来到了地球。

“造物者”重返地球

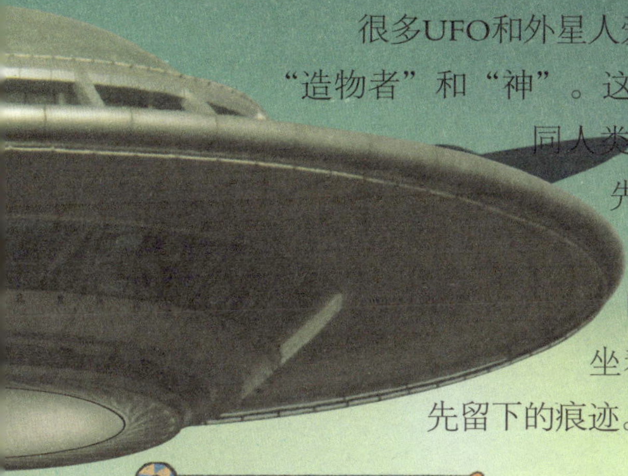

很多UFO和外星人爱好者认为，外星人就是古老传说中的“造物者”和“神”。这些外星人在远古时期来到地球，他们同人类一起生活，帮助人类进化，教给人类先进的知识，帮助人类创造出文明，最终他们由于未知的原因离开了地球。时隔多年之后，这些外星人的后代乘坐着UFO回到地球，只是想寻找他们祖先留下的痕迹。

路过的外星人

还有人认为，UFO出现的原因并不像人们所想的那般扑朔迷离，这些UFO只是外星人星际旅行的交通工具，他们只不过在漫长的旅途中偶尔路过地球而已。

外星人和UFO出现的目的到底是什么？是否有着不可告人的秘密呢？谜团还未揭开。

UFO的高速飞行原理

在大部分目击者报告中，UFO都有着超快的速度，它们可以瞬间出现、瞬间消失，也可以在空中做出各种高难度动作，如空中急停、随意起降等。这些发现表明，UFO使用的是超出人类科技水平的技术，对于它的运行原理，人类目前只能进行各种猜想。

引力驱动原理

物理学原理表明，宇宙间所有的星球都具有或大或小的引力。因此有人推测外星人正是利用引力来驱动UFO的。UFO中有一种特殊的装置，这种装置可以自由选择是否克服星球的引力。当UFO选定了目的地之后，就会选择克服其他星球的引力，只留下目标星球的引力对它发生作用，这样UFO就能很容易地在目标星球引力的作用下进行定向飞行。

光驱动原理

UFO出现时总是伴随着闪耀的光束，因此有人推测这些光束正是UFO前进的动力。UFO和地球上的飞行器不同，并非使用燃料来提供能量，而是靠“光粒子”来驱动。在运行过程中，UFO释放出的光粒子会产生巨大的推动力，使UFO能够高速运行。

分解传输原理

还有一种说法认为，UFO和外星人并非直接来到地球，而是通过一种先进的分解传输手段来到地球。外星人先将UFO分解成最小的“基本粒子”，以光速将这些基本粒子进行传送，到达目的地后再将这些基本粒子重新“组装”起来，形成一个完整的UFO。

电磁传输原理

电磁波是能量的一种，在宇宙间无处不在，它可以作为驱动UFO运行的能量，而UFO在缺少动力时可以随时补充，这样可以保证UFO长时间高速运行。

意念驱动原理

在所有关于UFO飞行原理的猜想中，最让人匪夷所思的就要数意念驱动原理了。有人认为外星人具有人类不能想象的“特异功能”，他们可以使用意念来移动物体，因此，UFO正是在外星人意念的驱动下来到地球的。

UFO的性能

在世界各地的目击者报告中，UFO总是具有很多出人意料的性能。以人类目前的科技水平来看，这些性能都是人类的飞行器无法具备的，这似乎预示着外星人的科技水平已经远远在人类之上。

神奇的速度

据目击者描述，UFO的运行速度极快，几乎可以瞬间出现、瞬间消失、瞬间转移。到目前为止，我们虽然还无法测算UFO的运行速度，但可以肯定的是，人类所有飞行器的运行速度都无法达到瞬间出现、瞬间消失和瞬间转移的程度，可见UFO的运行速度已经远远超出了人类的飞行器。

极高的灵活性

UFO的灵活性极高，在空中可以随时随地变换方向，它们似乎完全不受惯性的影响，可以在空中速停，也可以垂直升降，以小角度快速转弯，甚至能够在任何角度连续

知识链接

万有引力定律是指存在于任何两个物体之间的由质量产生的相互吸引力。重力正是地球产生的一种引力。地球上的所有物体都无法摆脱重力的影响。但是种种证据表明，UFO并不受重力的影响，这完全违背了万有引力定律。

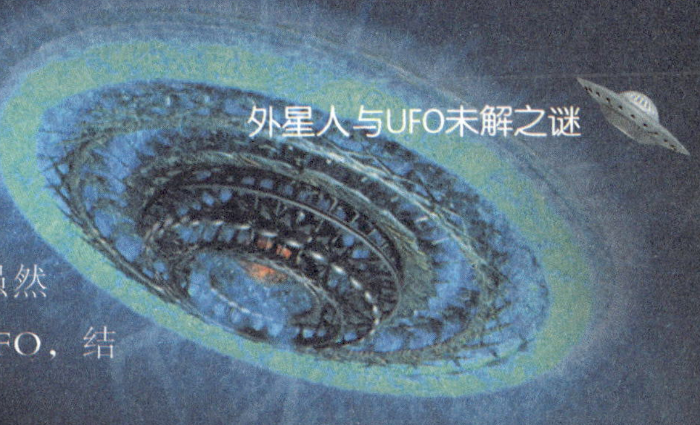

前进和后退。这些功能都是人类的飞行器不具备的，所以虽然人类曾经试图用飞机来追踪UFO，结果却一无所获。

会“隐形”的UFO

雷达是人类引以为傲的发明，人类使用雷达能够检测出现在自己领土上的外来物，但是，即使是最精密的雷达，在UFO的面前也毫无用处。在很多目击者报告中，目击者已经用肉眼观测到了UFO，但是军方的精密雷达却完全探测不到UFO。这证明UFO具有在雷达前“隐形”的本领，正是这一神奇的能力使得它能够在地球上任意运行而不担心被发现。

反重力的奇迹

重力是地球对其表面附近物体不可抗拒的引力，但是UFO却似乎完全不受重力的约束。有目击者报告提到，UFO可以将任何地方当成它的“停车场”，如有需要，它会将自己悬在半空中，完全不会坠落。从这个角度看，外星人的科技水平已经发达到能够克服宇宙间的万有引力！

自人类发现UFO以来，科学家们就开始尝试使用最先进的技术来监测和追踪UFO，但是迄今为止，人类还是毫无收获。UFO超高的性能使得人类在面对它时变得束手无策！

UFO为何不与我们直接接触？

虽然UFO越来越频繁地出现在地球人的目击者报告中，但是直接和UFO或者外星人接触过的人却是少之又少。为什么外星人不直接和我们接触？这背后又有什么隐情呢？研究者从不同的角度进行了推测。

外星人不屑于与人类交往

外星人的UFO能够穿过茫茫宇宙来到地球，说明不论是在文明程度上，还是在科技水平上，外星人都远远高出人类。在外星人看来，人类可

能就如同渺小的蚂蚁一般，外星人根本不把人类放在眼里。所以外星人派出的UFO才不会与人类进行接触和交流。

怕打草惊蛇

一种可怕的猜想是，出现的UFO之所以不和人类接触，是因为它们怕打草惊蛇。也许外星人来到地球正是为了消灭人类，占领地球，而UFO正是外星人派往地球进行战前信息收集的侦察机。在这种情况下，UFO自然不会轻易接触人类，待时机成熟后，它们就会大批前来，将人类一网打尽。

外星人还在摸索中

也许外星人正处于对宇宙的摸索中，他们无意间来到了地球，但是他们对地球和人类缺乏足够的了解，他们不了解人类的发展状况，也不了解人类的能力，因此他们不会贸然和人类接触。只有当外星人完全确定人类对他们没有威胁之后，他们才可能尝试着和人类进行接触与沟通。

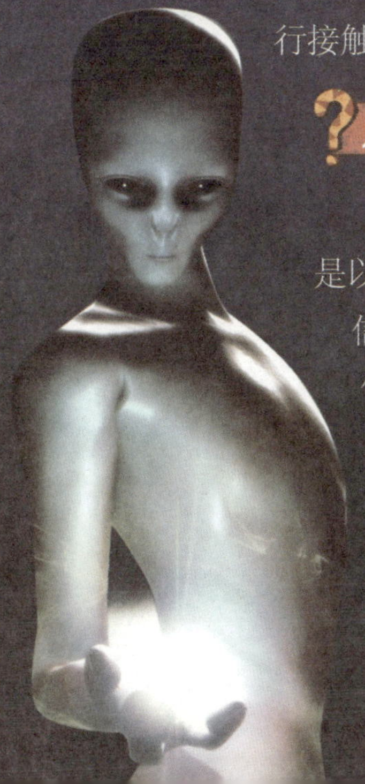

人类无法接收到外星人的“信息”

还有人认为，外星人并不是没有和人类进行联系，而是以目前的科技水平，人类还无法接收到外星人所传递的信息。自从UFO在地球上出现，外星人就开始使用他们的方法和人类进行联系，但是由于人类和他们的差距太大，因此人类无法理解他们所发出的“信息”。还有人推测，外星人通过UFO发出的“信息”可能是一种特殊的脑电波。也许只有当人类的科技水平发展到一定阶段时，人类才能接收外星人的联络信息。

外星人不想打扰人类

善良的外星人只想在暗中对人类和地球进行观察和研究，并不想打破地球上平静的生活，也不想因自己的出现而打扰到人类。因此UFO出现时总是悄无声息的，当收集到它们所需要的信息后，就会悄悄地离去。

真相到底是什么呢？也许未来有一天，外星人会直接和人类联系，到那时所有的问题都会有答案。

对UFO基地的猜测与探寻

相信很多人都有过这样的疑问：“既然UFO如此频繁地出入地球，那么地球上会不会有它们的基地呢？”事实上，在世界上许多地方都流传着关于UFO基地的传言，那么真相到底如何呢？

地心深处的UFO基地

如果外星人要在地球上建立基地，他们会建在哪里呢？很多人认为，地球深处是外星人建立基地的最佳选择。由于科技水平的限制，人类对地心的认识还远远不足，外星人若是将基地建在那里，就能够避免被人类发现。自古以来，很多地区就有地心人的传说，传说中的地心人总是神出鬼没，他们的形象也和人类有很大的不同。有人认为，这些传说并非空穴来风，传说中的地心人就是“外星人”，而地心正是他们在地球上的寄居地。

百慕大海底的秘密

百慕大三角是一个充满了神秘色彩的地方。从19世纪起，很多经过这里的船只和飞机都会神秘失踪，什么都找不到。有人推测，这是由于在百慕大三角的海底藏着外星人的一个基地，

为了避免泄密，经过此地的船只、飞机和人员都会被外星人劫持。科学家曾使用先进的仪器对百慕大三角的海底进行了探测，结果发现海底深处有一个类似于金字塔结构的建筑，这个发现似乎进一步增加了此处是外星人基地的可能性。

南极洲的神秘基地

据俄罗斯的一份秘密文件透露，在常年被冰雪覆盖的南极深处，有一个极其现代化的建筑群，这个建筑群建造得极为精密，可是人们在周围没有发现任何人类生活的痕迹。这个建筑群究竟是谁建造的呢？有专家认为，这个建筑群正是外星人建造的UFO基地，由于南极地区人烟稀少，因此基地建在这里十分安全，而频繁出现在南极上空的UFO就是对这个猜测的最佳证据。

月球上的UFO基地

1968年，“阿波罗”8号飞船曾经在探测月球的时候拍回一组照片，照片是在月球背面离地表100千米处用望远镜头拍摄的。从照片上可以清楚地看出：一个巨大的飞碟正在向左下方的月面降落，飞碟的舷窗清晰可见。在飞碟将着陆的月面上，有酷似起重机般高高竖起的吊臂，吊臂下矗立着一排纺锤形物体，高度一致，等距排列，类似机场跑道两旁的标志塔。除此之外，月面上还矗立着许多圆形或方形的形状奇特的建筑物。这一照片的公布，不仅证明月球背面确有UFO起降基地，而且也证实月球背面建有城市。

二 世界各地UFO事件大搜寻

阿诺德事件

肯尼斯·阿诺德本是美国一名普通的飞行爱好者，但是1947年6月24日目击UFO的奇遇却使得他一举成为闻名全国甚至全世界的人物，而他的经历也使得UFO成了举世关注的热门话题。

空中奇遇

1947年6月24日下午2点，阿诺德驾驶着飞机从华盛顿起飞，当他在莱尼尔峰上空飞行时，突然发现飞机的旁边出现了一道奇异的亮光，他急忙观察周围，只见九个圆盘状的物体正朝着自己的方向飞过来。一开始阿诺德以为是自己看花了眼，他又仔细地观察了一会儿，只见这九个“圆盘”分成了两队，整整齐齐地向前飞，更令他惊讶的是，这些“圆盘”都发出了闪耀的光芒，自己刚才看见的亮光就是它们所发出的。还没等阿诺德回过神来，这些“圆盘”已经从飞机边飞过，飞向了远方。当时阿诺德处于3500米的高空，他测算了一下这些“圆盘”的飞行速度，令人惊讶的是，这些圆盘的飞行速度竟然达到每小时1900千米，这是自己飞机飞行速度的好几倍！

社会各界的猜测

阿诺德在空中的奇遇很快就成了当时报纸上的头条新闻，并且传遍了全世界。人们纷纷对此展开了猜测和讨论，有人认为阿诺德遇到的是军方正在进行试验的新型飞行器；有人认为亮光是一种奇特的天气现象，在亮光中阿诺德误将空中的飞鸟当成了飞行器；还有人认为这一切都是阿诺德在说谎；但是，更多的人认为阿诺德看到的不是别的，正是传说中的飞碟！

惊动美国空军的事件

阿诺德事件发生之后，在社会上引起了强烈的反响，不光普通民众对其议论纷纷，就连美国空军也对这件事很感兴趣。美国空军的专家通过长期的调研之后，确定了阿诺德并没有说谎，并且肯定了他看见的正是一种特殊的飞行器。与此同时，在1947年到1952年间，美国空军对各类UFO事件进行了秘密调查，最终于1952年启动了专门负责调查UFO事件的“蓝皮书计划”。

> **知识链接**
>
> 1969年12月17日，美国空军根据《康顿报告》、美国科学院的审查以及以前的研究，宣布终止“蓝皮书计划”，因为“不论是出于国家安全考虑还是科学兴趣，都没有理由继续进行蓝皮书计划”。从那时起，美国政府正式退出了对UFO的研究。

迄今为止，阿诺德事件已经过去了几十年，但是它的影响一直延续至今，可以说，阿诺德事件是人类在探寻UFO真相过程中的一个划时代的事件！

奥罗拉小镇的百年困惑

100多年来，在美国得克萨斯州的奥罗拉镇上，始终流传着一个神秘的故事：外星人曾经驾驶着UFO来到小镇，由于突发事故，外星人不幸身亡，当地人将外星人的尸体和飞行器的残骸一同埋葬。这个故事是真的吗？

小镇上空的不明飞行物

事件发生在1897年，当时小镇的居民发现一个奇特的物体正在小镇的上空飞行，当时飞机还未发明，人们从未见过类似的飞行器，好奇的居民们跑了出来，想要一看究竟。据当地人回忆，那是一个银色的雪茄形飞行器，它在小镇上空迅速地移动，结果不小心撞上了小镇里巨大的风车，发生了爆炸，飞行器的残骸散落满地。

奇特的飞行员尸体

在满地的残骸中，小镇居民发现了一具奇特的尸体，尸体全身上下被烧焦，人们看不清尸体原来的样子，但是它明显比正常人类要矮小许多，就像是童话故事里的小矮人一般。随后，当地人将这具尸体埋葬在了小镇的墓地中，并且为他竖上了墓碑，表明了他飞行员的身份。

70多年后的调查

在奥罗拉小镇事件发生70多年后的1973年，国际UFO组织的创始人之一海登·海威斯无意间听到了在奥罗拉小镇流传的这个传奇事件，他认为这个事件中的飞行器就是UFO，而意外身亡的飞行员就是一个外星人。为了搞清事件的真相，海登·海威斯和许多UFO爱好者来到了小镇，在这里发现了有关飞碟坠毁事件的第一手资料。在小镇上，调查者们找到了几个依然健在的事件目击者，由于事件发生时这些目击者的年龄尚小，因此他们只能隐约回忆起当时的情况，并不能提供更多的资料。

不明飞行物的残骸

为了找到更多的证据，调查者开始寻找当年的飞行器残骸。很快，他们在小镇风车周围的土壤中找到了一块奇特的金属，他们将这块金属送到了物理实验室中进行测试，结果表明这块金属是一块铁和铝的合金，而70多年前的奥罗拉小镇或者周围的任何地方都没办法制造出这样的合金，只有在十分精密的实验室里，运用超纯的提炼术才能够制造出这种合金。调查者们认为，这块奇怪的合金就是当年UFO的残骸。

神秘消失的证据

当调查者们想要进一步寻找外星人的遗骸时，神秘的事件发生了，在当地埋藏了数十年的尸体和墓碑全都在一夜之间神秘消失了。调查者们认为，这一切都是外星人所为，他们的目的是阻止人类发现几十年前的真相。

就这样，关键证据消失了，奥罗拉小镇事件的真相到底是什么，我们不得而知。

本维特斯事件

本维特斯是英国东海岸附近的皇家空军基地，在20世纪80年代，这个空军基地曾被租借给了美国空军。正是在这段时间里，基地里发生了一起神秘的事件，而UFO和外星人正是这起神秘事件的主角。

神秘降落的飞行器

1980年12月末，本维特斯基地附近的一个农民向基地报告他看见一架发光的飞机降落到了基地内，接到报告的空军调查人员立刻查看了基地雷达，却没有发现任何异常，可是，这个农民却坚持声称自己看见了这架奇特的飞机。半信半疑的空军调查人员按照农民的报告前去调查，结果发现在基地内真的有一个奇怪的飞行物降落，不敢轻举妄动的调查人员立刻将这个消息报告给了上级，紧接着，一位叫作康拉德的上校随调查人员来到现场，出现在他面前的是一个会发光的UFO！这个UFO由一个三脚架支撑着，它的顶端发出红色的亮光，而下方则发出蓝色的亮光，这些亮光将UFO周围照得通明。很快，本维特斯基地的神秘事件就被传了出来，而美国《OMNI》杂志也曾专门发文报道了这个事件。

外星人现身之谜

在本维特斯事件中，除了神秘降落的UFO，更让人好奇的是外星人是否出现过。在最初的报道中，基地上校康拉德曾提及，UFO周围出现过几个奇特的外星人，这些外星人能够发出蓝色的光芒，而且他们身上长着许多像触角一样的东西。当有人靠近时，外星人就会用触角阻止人靠近。这些外星人正在修理UFO。几个小时后，外星人又乘坐着修理好的UFO飞走了。但是令人不解的是，随着事件的不断发酵，基地上校康拉德又推翻了自己说过的话，他一口否认外星人曾出现过，这究竟是怎么回事呢？

扑朔迷离的真相

在本维特斯事件中，可以肯定的是，的确有一架UFO曾经在该地降落。在美国空军的调查中，基地里有UFO降落时三脚架留下的痕迹。但是外星人是否真的出现过呢？康拉德上校前后矛盾的话令人困惑不已。有人推测，康拉德也许接到了军方高层的命令，需要对此事严格保密；也有人推测外星人可能暗中威胁过康拉德上校，让他保守秘密。

本维特斯事件的真相到底如何？外星人是否曾在本维特斯基地露面呢？难以有确定的答案。

法蒂玛事件

1917年，在葡萄牙一个叫法蒂玛的小村庄中，三个小牧童遇到了一位从天而降的美丽夫人。在接下来的几个月里，法蒂玛村庄的居民目击了这位神秘夫人的降临和消失。这是怎么回事呢？

栎树边的奇遇

1917年5月13日中午，在法蒂玛的一棵栎树边，三个分别叫作吕西、雅森特和弗朗索瓦的小牧童遇到了一件奇事。正当这三个牧童在栎树边玩耍时，一个发光物朝着他们飞了过来，紧接着，一个美丽的女人从发光物里走了出来，落在了栎树上。这个美丽的女人自称是从天上来的“玫瑰夫人”，她和三个牧童约定好了，让三个牧童在接下来的五个月里每个月的13日都到栎树边来见她。

看不见的“玫瑰夫人”

在接下来的几个月里，每到13日这天，三个牧童就会来到栎树边，“玫瑰夫人”也会如约而至。但是奇怪的是，除了这三个牧童，在场的其他人居然都看不见“玫瑰夫人”！当牧童们看见“玫瑰夫人”出现时，周围的村民只感觉到太阳变得有些暗淡，但是在他们看来，栎树上却是空无一人。这下人们开始怀疑牧童们说的话的真实性了，但是三个牧童却始终坚持说他们能够看见“玫瑰夫人”。

“玫瑰夫人”现身

五个月之后的10月13日，村民们为了弄清“玫瑰夫人”的真相，和牧童们一起来到了栎树边，把栎树围了个水泄不通。当天天降大雨，但是到了正午时分大雨骤停，太阳冲破乌云露出头来，然而，不久太阳开始变得暗淡，正在此时，一个发光物飞了过来，美丽的“玫瑰夫人”也随之出现，这次所有在场的人都看见了这一幕。

人们的各种推测

法蒂玛村庄发生的这件奇事引起了很多人的注意。有人认为“玫瑰夫人”是传说中的圣母；有人却认为，所谓的“玫瑰夫人”其实是一个外星人，她乘坐着飞碟来到地球，并且通过思维沟通的方式同地球人对话。由于外星人的科技十分发达，所以她可以任意选择谁可以看见自己，谁可以听见自己说话，这也就解释了为何有时只有牧童们能看见“玫瑰夫人”，能听见她的声音。

若法蒂玛事件真的是外星人所为，那么外星人为什么会选择这三个牧童作为沟通对象呢？她有什么目的呢？没有人能够回答这些问题。

通古斯大爆炸

20世纪初，俄罗斯通古斯河附近发生了一场震惊世界的爆炸事件，这场爆炸威力极强，它造成了2000多平方千米内8000多万棵树的死亡，但是，更让人疑惑的是这场爆炸背后的真相！

从天而降的火球

1908年6月30日早晨，通古斯河附近的很多居民还在熟睡中。此时，天空中传来了一种奇怪的声音，伴随着这种声音，一个巨大的火球出现在通古斯河的上空，火球从南向北划过天空，这个火球发出闪耀的光芒，将整个天空都照亮了。还没等人们反应过来，剧烈的爆炸声就开始响起，巨大的冲击波摧毁了地面上的一切，连大地都开始震动。紧接着，火球又引发了几次强烈的爆炸，连天空也被烧成了红色，在接下来的几天里，通古斯的天空就如同受了伤，始终呈现出一种诡异的暗红色。

诡异的大爆炸

通古斯爆炸的破坏力极强，科学家们在爆炸地发现了三个直径足有数百米的爆炸坑。据科学家们推测，这场爆炸的能量相当于2000万吨TNT炸药同时发挥作用，这相当于30多年后广岛原子弹爆炸威力的1000倍！更让研究人员疑惑的是，这场爆炸中还伴有许多异常现象，爆炸地区

的土壤被磁化，树木年轮中出现放射性异常的现象，某些动物发生了遗传变异。这些发现表明，这场爆炸中存在着大量的放射性物质。

“天灾”还是“人祸”

神秘的通古斯爆炸引发了巨大的灾难，但是没有人能够找出这场爆炸发生的原因。有人认为这是军方在进行新型武器实验，但是依据当时的科技水平，人类还不能制造出威力如此巨大的杀伤性武器。又有人推测，这可能是一场“天灾”，是由宇宙中的小行星撞击地球导致的，但是现场并未找到任何陨石遗留下来的物质，包括陨石坑甚至陨石碎片。

是UFO引起的吗

一直到几十年后，当UFO热兴起时，才有人对通古斯爆炸一事提出了新的推测。他们认为，通古斯爆炸是由一个UFO引起的，这个UFO在运行中发生了异常，引起了自身的爆炸。由于这个UFO是靠核动力驱动的，因此，它在爆炸时对地球造成了剧烈的核冲击，从而引发了这场惨绝人寰的灾难。这个推测不仅解释了神秘火球为何从天而降，也解释了爆炸后通古斯地区为何出现奇特的放射性现象，所以这个推测得到了很多人的认同。

若通古斯大爆炸真是由UFO引起的，那么这个UFO又是从何而来，它为什么会在通古斯上空出现呢？事情的真相就如同通古斯爆炸中被摧毁的树木一样，一同埋葬在了历史的长河中。

罗斯威尔事件

Roswell Daily Record

RAAF Captures Flying Saucer On Ranch in Roswell Region

Claims Army Is Stacking Courts Martial

House Passes Tax Slash by Large Margin

Security Council Paves Way to Talks On Arms Reduction

No Details of Flying Disk Are Revealed

Ex-King Carol Weds Mme. Lupescu

Some of Soviet Satellites May Attend Paris Meeting

Miners and Operators Sign Highest Wage Pact in History

Roswellians Have Differing Opinions On Flying Saucers

American League Wins All-Star Game

在UFO目击事件中，最为离奇的就要数罗斯威尔事件了。20世纪40年代，有媒体曝出美国空军在罗斯威尔地区发现了一个坠落的飞碟，但是美国军方对此矢口否认，几十年过去了，事件的真相如何，我们仍然不得而知。

神秘的UFO坠落事件

1947年7月8日，美国罗斯威尔地区的《每日新闻报》刊出一条震惊了全世界的消息，消息称美国空军在该地发现了一个坠落的UFO。根据消息，UFO坠落事件发生在1947年7月5日，当时一位叫麦克·布莱索的农场主听到了一声巨大的爆炸声，第二天他在自家的农场周围发现了许多金属碎片，于是他立刻将这个消息报告给了当地驻扎的美国空军。军方收到报告后立刻派人前去调查，发现了坠毁物的残骸。没多久，军方就发现这不是一架普通的飞行器，他们对收集的残骸进行了复原，发现这个飞行器的外形像一个乌龟壳，飞行器内还安装着各种人类无法识别的控制机关，

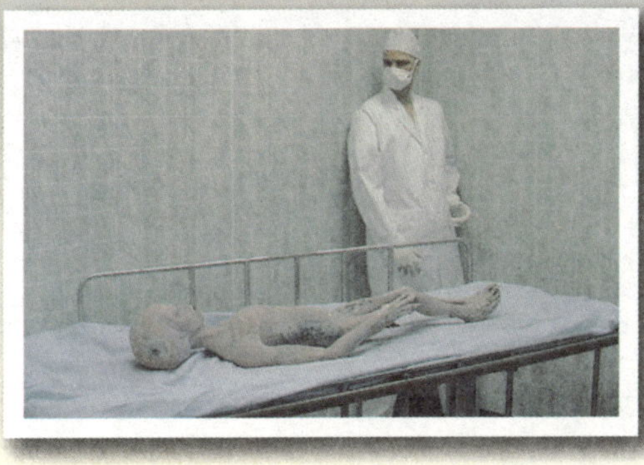

在残骸中，军方甚至发现了烧焦的奇特死尸！

前后矛盾的军方声明

罗斯威尔地区发现UFO的消息一经刊出，立刻吸引了全世界的目光。全世界的UFO爱好者都对事件的真实性议论纷纷。此时，美国军方以非官方的手段发布一份声明，声明指出：“很多有关飞碟的传言昨天变成了现实。驻罗斯威尔陆军航空机场的第8航空队第509轰炸机大队的情报官员很幸运地获得了这样一艘飞碟。”然而在24小时之后，军方又推翻了自己之前的说法，他们宣称军方发现的只是一个带着雷达反应器的气象探测气球，并没有什么飞碟，更没有外星人。军方这种出尔反尔的态度使得很多人开始怀疑他们声明的真实性，人们认为军方这种奇怪的反应更证明了事件的真实性！

针对UFO的“蓝皮书计划”

美国空军虽然数次重申在罗斯威尔事件中并没有UFO出现，但是事件发生后不久，美国就启动了特殊的“蓝皮书计划”，这项计划专门用于处理和UFO及外星人有关的事件。这项计划似乎从侧面证实了罗斯威尔事件的真实性。越来越多的人认为，军方在罗斯威尔事件中得到了大量关于UFO和外星人的资料，为了掩人耳目，他们不得不编造出各种谎言来隐瞒事件的真相。

降临莫斯科的“魔鬼”

20世纪80年代，莫斯科被深深的恐惧笼罩着，带来恐惧的正是频频出现在莫斯科上空的UFO。当时莫斯科人将其称为“魔鬼”。

公园里突降“魔鬼”

1981年11月16日晚上8点左右，在莫斯科的依兹玛伊公园里，人们正悠闲地散步。一个妇女突然大叫：“魔鬼降临了！”，与此同时，一架会发光的圆形飞行器从公园里的树林中快速升起，瞬间就飞到了空中，消失在夜空里。很多路人急忙跑到树林中，只见一个妇女惊魂未定地站在树林中，她旁边的地上有一个深深的坑。这个妇女说刚才一个UFO突然降落在她的身边，接着一个长相恐怖的外星人从UFO中走了出来，那个外星人的头像一个倒置的三角形，眼睛又大又圆，他的身上穿着奇特的紧身衣。听到妇女的叫声后，外星人立刻返回UFO，随即腾空而去。

UFO数度光临莫斯科

这并不是“魔鬼”第一次降临莫斯科，早在1981年4月，就有人看见四个UFO从莫斯科的上空飞过，甚至有目击者透过UFO的透明玻璃看见了外星人的样子，他们戴着奇怪的头盔，正驾驶着UFO。四个月之后，在8月23日的晚上，一位医生看见了UFO破坏自己家玻璃的场景，当时他因失眠而起床，突然一个会发光的UFO停在了他家窗户前，一阵耀眼的光芒之后，他面前的玻璃上出现了一

个洞。更让人毛骨悚然的是，当天夜里，莫斯科有60多户人家的窗户被神秘破坏，这些窗户都被钻出了直径约七八厘米的洞。在接下来的几个月里，大批UFO源源不断地来到莫斯科，它们通常成群结队地出现，不断地破坏莫斯科居民家的玻璃，紧接着，居民被UFO灼伤的事件发生了。这一事件在莫斯科引起了极大的恐慌，人们开始将UFO和外星人称为“魔鬼”。

外星人到底想干什么

为了弄清外星人出现在莫斯科的目的，苏联军方曾派出空军对UFO进行追击，但是当人类的飞机靠近UFO时，UFO会突然发出刺眼的亮光，紧接着飞机的引擎出现故障，而驾驶员的双眼也像是被灼伤了一样看不见了，军方对UFO的调查就这样不了了之。就当整个莫斯科笼罩在深深的恐惧中时，UFO又神秘地消失了，莫斯科城恢复了平静。而1981年出现在莫斯科城的那些UFO其降临莫斯科的目的也永远成了一个谜。

知识链接

为了调查神秘出现在莫斯科的UFO，苏联曾建立了专门进行UFO研究的实验室，军事专家普萨罗姆希科夫就曾经披露苏联设立过研究不明飞行物的超级绝密实验室。

带有神秘标志的UFO

在各式各样的UFO目击者报告中，UFO总是来无影去无踪，还没等目击者看清楚，它就消失在天空中。但是，1964年曾有目击者近距离观察到了UFO，甚至连UFO上的神秘标志也看得一清二楚。

公路上的“发光体”

萨莫拉是美国新墨西哥州的一位警察。1964年4月24日下午，他在公路上执行公务时突然听见了一声巨响，紧接着，他的西南方出现了火光，但是奇怪的是，在火光出现后并没有浓烟升起。萨莫拉来不及细想，他立刻调转车头，向着火光发生地驶去。萨莫拉到达火光发生地附近时，才发现原来这里并没有失火。这时，他看见公路上躺着一个巨大的发光体。

神秘的白衣“男子”

为了弄清事情的真相，萨莫拉朝着发光体的方向开过去，就在距离发光体150米时，他突然看见发光体的周围有两个穿着奇怪白色连体服的男人，这两个男人正在发光体前走来走去，似乎是在维修。这时，一位白衣男子发现了萨莫拉的存在，他看见萨莫拉正朝自己驶来，就像是受到了惊吓，跳了起来。这时，萨莫拉才看清这个发光体的形状，原来它是一个椭圆形的金属体，它的底部还有一个支架。正当萨莫拉惊讶时，两个白衣男子已经迅速地回到了发光体中，紧接着又是一声巨响，发光体底部蹿出了火光，这火光和刚才萨莫拉看见的一模一样。

UFO上的奇特标志

这时萨莫拉才回过神来，原来自己看见的是一个UFO！这时发光体已经开始上升，萨莫拉紧紧地盯住UFO，只见它越升越高。此时，萨莫拉惊讶地发现这个UFO上有一个特殊的标志，这个标志由一条横线、一个向上的箭头和一个向下开口的弧形组成，箭头在横线上方，指向了开口弧形的正中央。萨莫拉赶紧向警察局报告了自己的这个发现，但是当其他警察赶来时，UFO已经消失不见了。

神秘标志背后的含义

萨莫拉的这个奇特经历引起了美国空军的注意，他们特意派了一名经验丰富的天文学家前去调查这件事。这位天文学家认为，在整个事件中最关键的就是萨莫拉看见的UFO标志，解开这个标志背后的含义，就能够找到UFO的来源和目的。但是几十年过去了，依然没有人能够解开这个谜团。

世界各地的麦田怪圈事件

你听说过麦田怪圈吗？在麦田或者其他农田上，通过某种力量把农作物压平而产生神秘的几何图案，这些几何图案就被称为麦田怪圈。这些图案形状各异，精妙无比。这们些怪圈到底是谁创作的呢？它们是外星人的杰作吗？

画册上的麦田怪圈

早在17世纪，神秘的麦田怪圈就已经出现了。1647年，英格兰的麦田中就出现过神秘的图案，由于这些图案几乎是在一夜之间形成的，当时的人们认为，这些图案是“魔鬼”创作的。在1678年出版的一本画册中，还有人将麦田怪圈画在了其中，那幅画的名字叫《割麦的魔鬼》。在画中，一个魔鬼正拿着镰刀在麦田中进行创作。

遍布世界的神秘图案

麦田怪圈越来越频繁地出现在我们的视野中，迄今为止，世界范围内已经出现了许多形态各异的麦田怪圈。英国是出现麦田怪圈最多的国家，每隔几年，英国的农田中就会出现各种神秘的图案。除此之外，荷兰、德国、印度尼西亚等地都出现了麦田怪圈，这些图案大多数由几何图形构成，它们造型精巧，图案精美，从空中看去就像是某位神秘的“画家”拿着巨大的画笔在空中绘制的一样。

外星人送来的画作

麦田怪圈到底是如何形成的呢？有人猜测这些怪圈的制造者正是外星人。人们对出现麦田怪圈的地区进行了研究，结果发现，这些地区或多或少都出现过UFO目击事件！这并非一个巧合。这些怪圈可能是外星人向人类传递的某种信息，这些信息可能是对人类的警告或者对未来的预告。在英国，一些天体物理学家甚至公开表示麦田怪圈并非无意义的图案，正是外星人给地球人送来的暗号。至于这些暗号背后藏着怎样的信息，还需要人类进一步去研究解密。

知识链接

麦田怪圈是外来力量将农作物压平形成的特殊图案。在麦田怪圈中，农作物会从不同的角度弯折，以形成图案的明暗色调，这只有经过精密的计算才能实现。

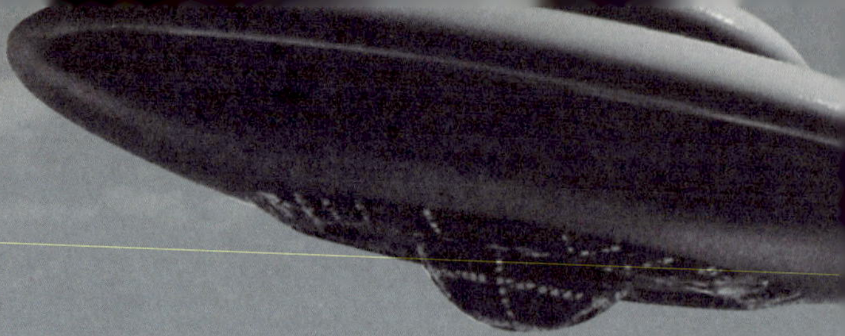

阿曼多事件

20世纪70年代，智利一位叫作阿曼多的士兵在巡逻时发现了一个不明飞行物，紧接着他被神秘出现的不明飞行物劫持，当他再次出现时，人们却在他身上发现了许多奇怪的现象。

边境线上的不明飞行物

1977年4月25日，一位叫阿曼多·巴尔德斯的智利士兵带着几个下属在玻利维亚边境附近的普特勒山地上巡逻。正在此时，一道亮光从天边闪过，士兵们警惕地向上一看，只见一个发光不明飞行物朝边境线上的哨所飞去，没多久，这个不明飞行物就在哨所前停了下来。

神秘消失的士兵

阿曼多见状，立刻叫下属们留在原地监视这个不明飞行物，同时他独自上前去查看。士兵们看着阿曼多走向不明飞行物，突然他就像隐身了一般在他们的注视下凭空消失了。紧接着，哨所前的不明飞行物也在一瞬间消失得无影无踪。受到惊吓的士兵们立刻乱作一团，他们急忙向上级汇报了这个意外情况。

失去记忆的秘密

15分钟以后，士兵们还惊魂未定时，身边突然响起了阿曼多的叫声，他们回头一看，只见阿

曼多又神秘地出现了，他正虚弱地躺在地上。士兵们立刻将阿曼多扶了起来，这时他们才发现阿曼多的胡子比刚才长了很多，就像是许多天未刮一般，而他的神情也极为憔悴。数小时后他醒过来，士兵们七嘴八舌地向阿曼多询问情况，但是阿曼多什么也记不起来了。

丢失了的时间

与此同时，有人发现阿曼多的手表比大家的都要慢15分钟，更让人惊讶的是，不知何时，阿曼多手表上的日期已经变成了4月30日。这究竟是怎么回事呢？有专家推测，这都是外星人搞的鬼，虽然对于我们来说阿曼多只消失了15分钟，但是对于阿曼多来说，他却度过了漫长的5天，正因为如此，他的胡子才会神秘变长。但是为何阿曼多度过的这5天会神秘消失呢？这些消失的时间又去了哪里呢？外星人到底对阿曼多做了什么呢？这依然是一个谜。

知识链接

根据爱因斯坦的广义相对论，物体运动的速度越快，衡量其自身的时间就相对流逝得越慢，向极限逼近。也就是说，当物体的运动速度越接近光速，其时间就会趋于停止。

凯克斯堡事件

凯克斯堡是位于美国宾夕法尼亚州的一个小镇。几十年前，这个小镇的数百名居民看见了神秘火球的降临，事后很多人想要搞清事情的真相，但是目击者们却陆续遭遇了各种各样的意外，这是外星人在搞鬼吗？

小镇上的神秘火球

1965年12月9日下午3点，在美国的凯克斯堡小镇上出现了一个奇怪的火球。这个火球体形巨大，它缓慢地划过小镇的上空，最后落在了小镇周围的森林中，随后，一股奇怪的蓝色浓烟从森林里升起。由于火球在凯克斯堡小镇上空飞行的速度较慢，因此先后有数百名居民目睹了火球的出现，他们立刻联系了当地的警察。警察很快和美国空军赶到了火球坠落的地点，并且将这个森林封锁了起来。

军方的奇怪反应

火球坠落后，接到消息的媒体记者们立刻聚到了凯克斯堡小镇，但是由于美国军方的阻止，他们谁都不能接近事发地。到了午夜时分，待大多

数记者都散去时，一辆军用平板车突然从森林里驶出，平板车被严严实实地封了起来，谁也不知道车上放着什么。第二日，当记者们向军方求证时，军方对这件事却矢口否认，坚持声称在凯克斯堡小镇没有发现任何奇特的物品。

接二连三的意外

虽然军方不肯透漏消息，但是很多目击者还是留下了证据，一位叫作莫菲的记者就拍到了森林里的奇特飞行物。在照片中，一架钟形的飞行物停在了森林中。为了搞清事情的真相，这位记者展开全面调查，但是还没等调查完成，他就在一次交通事故中失去了生命。随后，又有一位目击者向记者透漏自己曾目睹了整个事件，同样没多久，这个身体健壮的目击者却因“心脏病”突发而神秘死亡。

40年后的声明

2005年12月，在凯克斯堡UFO事件40周年纪念日前，美国航空航天局突然发表了一个关于凯克斯堡事件的声明，在声明中他们提到40年前美国空军确实在当地发现了飞行物的金属残骸，但是他们依然声称这个飞行物是苏联一颗卫星，并不是UFO。但是有记者调查了当时的卫星档案，发现记录中并没有苏联卫星坠毁的记录。对此，美国军方的回应是凯克斯堡事件的详细档案丢失了。

为何美国军方在凯克斯堡事件上表现得如此神秘呢？他们到底发现了什么？又在隐瞒什么呢？真相仍未揭开。

宇航员遭遇UFO

1969年7月21日，美国宇航员尼尔·阿姆斯特朗从“阿波罗”11号飞船中走出，在月球表面留下人类的第一个足迹。而与登月同样具有划时代意义的是，宇航员们曾在月球上发现了UFO！

月球照片中的UFO

在阿波罗登月计划完成40多年后，有媒体报道，在登月计划中，宇航员们在拍摄月球表面的照片时无意间拍到了一个巨型的UFO。根据报道，这个UFO足足有4000米长，500米高，同人类的飞行器相比，这无疑是一个庞然大物。随后，科学家们对宇航员拍到的照片进行了研究，并通过计算机进行了模拟，结果表明这是一个长条形的UFO，它的控制台位于整个飞船的前部，而它使用的是一种未知的材料。

不断曝光的内幕

除了拍到UFO照片，最新的报道还指出，在阿波罗登月计划中，宇航员们还曾经遭遇过神秘UFO的跟踪。当时宇航员们发现自己飞船的周围出现了一个不明飞行物，最开始他们以为那不过是人类抛弃的火箭，于是他们便向地面上的控制中心发出信息，要求提供这个火箭的方位，但是控制中心调查后却发现他们的周围没有任何人类发射的火箭。那么这个不明飞行物是什么呢？宇航员们立刻使用望远镜进行观察，只见这个飞行物始终跟随着他们的飞船，宇航员们认为这个不明飞行物是外星人派来监视他们的，正当他们不知该如何反应时，不明飞行物又神秘消失了。

神秘中止的登月计划

在很长时间里，人们一直对美国的登月计划十分好奇，为什么他们在成功完成阿波罗登月计划之后就暂停了这项计划，并且在今后的几十年里也未曾启动？直到宇航员遭遇UFO的秘密被揭开，这个问题的答案才开始浮出水面。有些人推测，美国之所以突然中止阿波罗登月计划，是因为外星人曾和他们接触，在外星人的威胁下，美国不得不放弃这项正在顺利进行的计划。

几十年前，登上月球的宇航员除了看到UFO，是否接触过外星人呢？他们在月球上还有哪些不为人知的奇遇呢？也许在不久之后，登月计划的亲历者们就会亲自为我们解答。

53年后惊现湖底的美国战机

2006年，美国的潜水员在使用探测工具对美加边境的苏必利尔湖进行探测时，惊讶地发现湖底有一架美军的战斗机，而这架战斗机是在53年前追踪不明飞行物时失踪的。为何时隔多年之后，它又会在湖底神秘现身呢？

神秘失踪的战机

1953年11月23日，美国密歇根州空军的雷达探测到该地区出现了一个UFO。美国空军立刻命令飞行员驾驶着F-89战斗机对这个UFO进行追踪。地面上的控制中心通过雷达探测器，关注着F-89战斗机和UFO的位置，只见美军的战斗机紧紧地追踪着UFO，很快它就在苏必利尔湖上空追上了UFO，但是令人惊讶的是，当战机逼近UFO时，二者突然就在雷达观测系统中消失了，之后再也没有出现过。

战机是不是被UFO劫持

战机消失后，美国空军派出了大量的兵力进行搜寻，他们在战机消失的地方进行了地毯式搜寻，结果却一无所获，他们甚至连飞机坠毁的痕迹都没有发现，好像这架战机从来没有出现过一样。事后，有专家

推测，这架战机被UFO上的外星人劫持了，而外星人掌握了一种能够躲避雷达的技术，因此，被外星人劫持的战机才会和UFO一起神秘消失。自此，神秘消失的战机就成了一个历史谜团。

知识链接

苏必利尔湖是世界上面积最大的淡水湖。它与密歇根湖、休伦湖、伊利湖和安大略湖等相连的湖泊合称五大湖，有“北美大陆地中海”之称。五大湖除了密歇根湖属于美国，其余四湖均为美国和加拿大两国共有。

53年后惊现湖底

在战机失踪53年后，潜水员在对苏必利尔湖进行探测时，无意间发现了这架神秘消失的战机的残骸。最初他们认为这不过是一架普通的飞机，但是随着探测不断深入，越来越多的证据表明，这就是那架在追踪UFO过程中消失的飞机！但是，在机舱中，科学家并没有探测到人类的尸体，这意味着飞机的飞行员似乎并没有随着飞机一起坠落。那么飞行员去了哪儿呢？我们只能等待科学家进一步的研究结果。

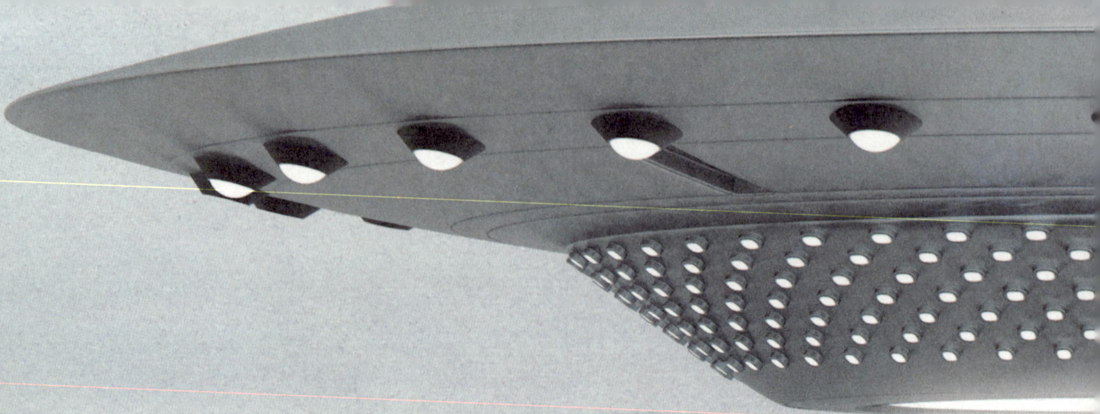

俄罗斯雪地上惊现神秘怪圈

2015年11月6日，俄罗斯的叶卡捷琳堡突降大雪，整个城市都被皑皑的白雪覆盖了。然而，该地一所幼儿园的操场里却发生了一件离奇的事，满是积雪的操场上不知被何人画出了一大片圆形花纹。

雪地上的奇景

2015年11月7日早晨，生活在俄罗斯叶卡捷琳堡的居民在一所幼儿园里发现了一个奇怪的景象，雪地上出现了一大片圆形花纹图案。其中心是一个直径约50厘米的圆形图案，而周围则是一些非常有规律的圆圈。每个圆圈之间的间隔在10厘米到15厘米左右，而整个图案的直径则大约有30米。所有的圆圈都由明亮的雪白条纹和黑色的土壤构成，而且构造也都非常相似。

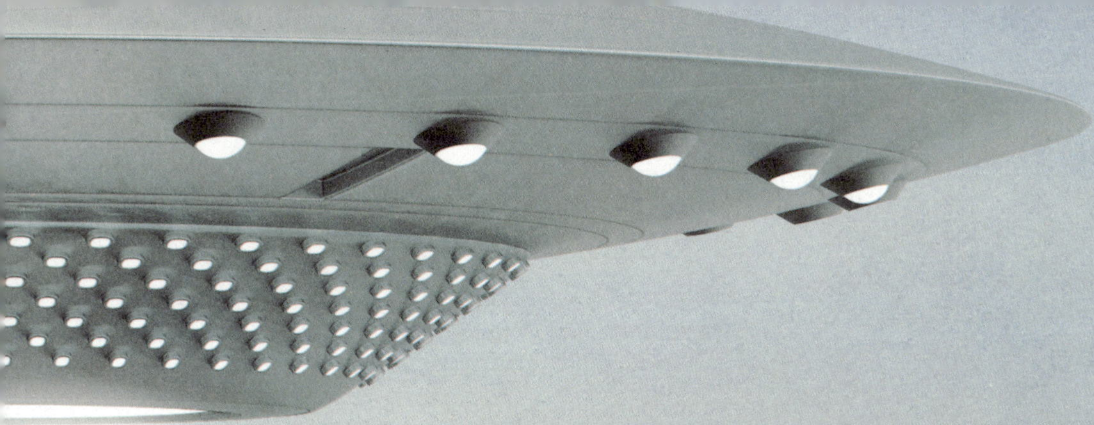

谁在雪地里画下圆圈

到底是谁在雪地里画出了如此奇特的图案呢？他的目的又是什么呢？有人认为，要在雪地上制作出如此多的标准圆圈是一项十分巨大的工程，而且当时操场上到处被大雪覆盖，要想不留下任何痕迹就画出这些圆圈是一项不可能的任务，因此这绝对不是人类所为。还有人推测这些圆圈可能是由于气流的运动形成的，但是这个推测很快就被推翻了，人们发现这些圆圈的形状十分标准，线条也极为光滑，而气流运动形成的线条是螺旋形的。雪地圆圈的真相到底是什么呢？当地的居民们对此毫无头绪。

不明飞行物的猜测

进一步的研究表明，在出现圆圈的操场上曾经出现过一次快速的升温，所以圆圈的形成可能与温度升高导致积雪融化有关。但是到底是哪种神秘的力量使得积雪以如此特殊的形式融化从而形成了这种图案呢？有人推测这可能同UFO有关，圆形的UFO在低空飞行时发出了紫外波段或者

红外波段的光，这些光射到雪面上就会导致积雪升温融化，若是UFO距离地面的距离不同，形成的圆圈的大小也各不相同，这也解释了为何雪地中会有如此多的圆圈。

外星人的目的是什么

雪地圆圈如果真的是外星人的UFO在作怪，那么外星人的目的到底是什么呢？是想要给人类留下某种信息，还是在地球上留下自己独特的记号，又或者只是一时的恶作剧呢？这背后的真相还有待人们进一步去探索研究。

影视档案馆

《天兆》是美国出品的科幻电影。电影讲述的是一个平静的小镇的玉米田中出现了奇怪的环形图案，最终人们发现这些环形图案是外星人所留，而人类也在同外星人接触的过程中重拾了亲情。

新西兰天空的UFO群

1978年，新西兰的天空中曾接二连三地出现UFO群。幸运的是，在此次UFO目击事件中，一位目击者通过艰难的追踪，用摄像机捕捉下了UFO出现的画面，为UFO的真实性提供了强有力的证据。

夜空中的发光体

1978年9月21日凌晨0点30分，新西兰一架货机正沿着新西兰南岛的凯库拉飞行，突然，机长约翰·B.兰德尔发现前方的天空中有像灯笼一样的发光体，他立刻将这个发现报告给了地面上的交通管制部门。几乎在同一时间，空中交通管制部门的雷达也检测出有五个不明飞行物在自己的管辖区内出现。

尾随飞机的UFO

凌晨3点半，另一架飞机起飞，由于雷达检测到的UFO仍然在该地

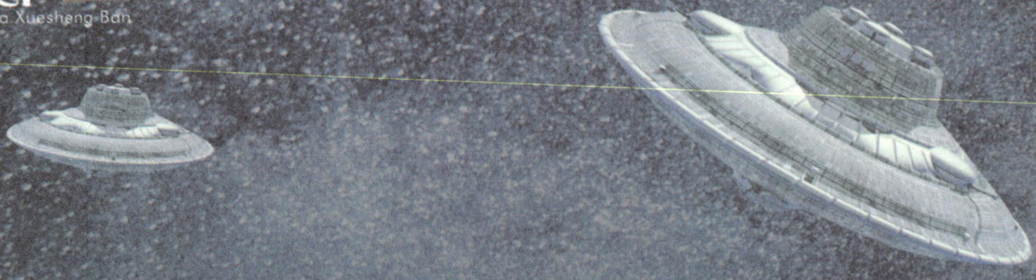

区逗留，因此空中交通管制员提醒机长弗恩·鲍威尔注意这些UFO的位置。没多久，这架飞机的机长就遇到了停留在空中的UFO。他沿着航线飞行时，突然发现UFO正紧紧地跟在自己的后面，不知道UFO有何企图的机长立刻加快了速度，但是UFO仍然紧追不舍。UFO尾随了约二十千米后突然神秘消失了，不光机长无法看到它们，就连地面上的雷达系统也无法检测到它们，它们就像是在空中蒸发了一般。但是当飞机靠近目的地时，这些UFO又神秘地出现了，这次它们不再尾随，而是以飞快的速度向着飞机驶来，它们飞驰到了飞机的左侧，又迅速地离开了。

偶遇UFO的记者

事件发生后，正在新西兰度假的墨尔本记者昆廷·福格提受命对该事件进行调查采访，他租了一架飞机，带着摄像装置在UFO出现的航线进行报道。正当记者的飞机在空中飞行时，UFO再次出现了。这次出现的UFO有六七个，它们发出耀眼的光芒，将夜空照得很亮。福格提立刻拿

出了摄像机，想要捕捉UFO出现的画面，但是此时UFO迅速地从飞机的右侧飞过，转眼就消失了。

UFO再次出现

正当记者为没有拍到UFO的画面而懊恼时，UFO再次神秘出现了。最初，一个UFO突然出现在飞机的左侧，它以极快的速度飞速下降，在空中划出一道明亮的弧线，紧接着一群发光体同时出现。这次记者没有放过拍摄的机会，他用摄像机将这些UFO移动的过程全部拍了下来。

> **知识链接**
>
> 在目击者报告中，UFO群出现时，常会排成各种各样的形状，目前被目击到的UFO群排成的形状有直线形、V字形、三角形、十字形、弧形等。

记者的视频资料成了新西兰UFO目击事件的有力证据，事后这个视频资料被送往了航空研究中心，科学家们想要从这份第一手资料中寻找更多的真相。

波兰扎科帕内事件

1980年，波兰的扎科帕内也出现了神秘的UFO，UFO虽然在扎科帕内上空出现的时间并不长，但还是有两位目击者看到了UFO的身影，而这次目击事件也给他们留下了深刻的印象。

天空中的奇怪亮点

1980年1月17日凌晨6点05分，波兰扎科帕内一位叫作安东·斯兹雷德的警察正在执勤。突然，他发现远处塔特拉山脉上方的天空中出现了一个正在移动的亮点，最初他以为这是一颗流星，很快他就发现了奇怪之处：这个亮点的亮度远远超出了其他的星星，而且它移动的速度极快。安东·斯兹雷德仔细一看，原来这个亮点是由两个小亮点组成的，这两个小亮点时而重合，时而分开，忽上忽下地移动着。安东·斯兹雷德这才反应过来，原来自己看见的是UFO，而这个UFO是由两个相对的发光体组成的，他立刻拿出了相机，拍下了发光体的照片。没多久，这个迅速移动的UFO就消失在了斯兹雷德的视线中。

神秘停电的水电站

UFO出现当天，扎科帕内的水电站也发生了一件怪事。当时一位叫作约瑟夫·科伊斯的水电站工人刚值完夜班。正当他打算交班时，水电站里的24瓦蓄电池灯无缘无故地熄灭了，他急忙前去检查，但是转瞬间，水电站里的220瓦蓄电池灯也熄灭了。这下水电站里一片漆黑，慌张的约瑟夫·科伊斯急忙拿起应急的手电筒，可是手电筒也像是突然没电了一般无法使用。在黑暗中，约瑟夫能听见水电站的发电机发出轰轰的声音，这说明发电机是正常运转的，可是蓄电池灯为什么突然熄灭了呢？这让约瑟夫彻底迷惑了。

水电站上空的发光体

正当约瑟夫疑惑时，一束亮光从水电站的窗户中射了进来，这亮光将漆黑的水电站照得通明，就如同白昼一般。紧接着，一个黄色的发光体从窗边飞过，它一边飞一边发出黄色的亮光，没多久，黄色的发光体就飞过了水电站，跨过了远处的高山，消失在了天边。待发光体消失之后，水电站的蓄电池灯重新恢复了正常。

波兰扎科帕内事件中的UFO不仅像其他的UFO一样能够发出刺眼的亮光，而且还能够影响水电站的电力装置。有专家推测，这可能是由于UFO在飞行时能够发出强烈的电磁辐射，所以水电站才会停电。

凤凰城的光点现象

1997年，美国亚利桑那州凤凰城的上空出现了几个巨大的光点，当地数千人目睹了这一奇景，但是美国官方却对此矢口否认，其中隐藏着什么不可告人的秘密吗？让我们一起来回顾一下吧。

重回事件现场

1997年3月13日晚上，美国亚利桑那州凤凰城上空突然出现了五六个奇怪的巨大光点，这些光点能够发出琥珀色的亮光，它们整齐地排列成一个“V”字向前移动着。根据目击者的描述，这些UFO大小和“波音747”差不多，在飞行过程中，它们始终保持着整齐的队形。同其他的UFO相比，这些光点的移动速度要慢很多，它们缓慢地从西北方向向着东南方向飞去。由于其移动速度较慢，因此当天凤凰城有数千名市民看到了这一奇特的现象。

官方的奇怪态度

事件发生后，有媒体对凤凰城的UFO事件进行了报道。但是美国军方和政府官方对此矢口否认。美国军方发出了声明，称当天在凤凰城上空经过的光点并非UFO，而是美军的训练机在训练时发出的亮光。与此同时，亚利桑那州的州长塞明顿也一口否认了这件事，他甚至专门召开了记者招待会进行辟谣。美国官方的这种奇怪态度让当时的目击者们困惑不已，他们不理解为何官方要在确实发生的事情上撒谎。

时隔10年的真相

在凤凰城光点事件发生10年之后，突然出现了转机。曾任亚利桑那州州长的塞明顿退休后终于决定说出事件的真相。他提道：“那些光真的非常亮，非常大，真是太迷人了，你会觉得这是超乎世俗的。在你的直觉里，你知道这是不寻常的。”这也是美国官员首次承认UFO目击事件的真实性。塞明顿同时指出，10年前他是为了避免民众恐慌才选择隐瞒真相的。

影视档案馆

《夜空》讲述了1997年3月13日，史上体形最大的UFO之一在经过美国西南部时被目击者看见，整个过程被社区官员、警察和数千名的普通百姓所目睹。本片由真实的故事改编，内容基于一篇心理治疗的病例纪录。这个极度虚假的事件背后的真正原因，竟是6个人因迷路而陷入困境，他们看见的仅仅是一些比灯光更亮的物体。

美欧多国同日惊现UFO

2008年，多个UFO在同一日出现在了世界各个角落，俄罗斯、美国、奥地利、英国等国都有人看到了它们。为何向来神秘的UFO会同一天在多国出现呢？外星人又有何企图呢？

俄罗斯多地惊现UFO

2008年6月15日，莫斯科的天空中出现了11个UFO。这些UFO从西北方向飞来，正向着东南方向飞去。当时俄罗斯足球队正在和荷兰队进行比赛，而这些UFO正是在比赛第一次进球时出现的，很多目击者都看到了UFO飞过。除了莫斯科，在俄罗斯的圣彼得堡也有人看到了UFO，同莫斯科的目击者看到的情景相似，圣彼得堡上空出现的UFO数量也是11个，这些UFO是在飞过涅瓦河上空时被发现的。

美国出现目击者

在同一天，也有UFO神秘地出现在了美国印第安纳波利斯的上空。这些UFO是在城市的东南方向出现的，它们飞得不高，离地面很近，但是飞行速度却非常快。

据目击者回忆，这些UFO在飞行时没有发出任何声音，目击者也没有听到任何类似发动机的声音。更令人惊讶的是，出现在美国的UFO的数量和出现在俄罗斯的一样，都是11个！

奥地利维也纳上空的亮点

除了俄罗斯和美国，在同一天里，奥地利的维也纳上空也出现了UFO。维也纳上空的UFO飞行高度较高，目击者们没能看清楚这些UFO的形状，他们只能远远看见一些光点在天空中出现，迅速移动，没多久就消失了。有些目击者试图用手机来拍摄视频，但是奇怪的是，在他准备拍摄时手机突然发生了故障，不能正常工作了，因此并没有留下证据。

英国军方的声明

与此同时，英国的军方也发出了声明，证明在同一天内英国的一个军营上空也出现了一些UFO。据目击者描述，这些UFO是红色的，它们的飞行速度极快。英国军方曾派出飞机对这些UFO进行跟踪和拍摄，并且拍到了UFO的照片，而这些照片会被送到英国国防部进行分析研究。

为何同一天内会有这么多国家都出现UFO呢？有人推测不同地区的目击者看到的UFO是同一批，因为它们的飞行速度极快，所以它们在同一天内经过了很多地区，引起了多个国家的关注。

航天飞机“发现者”号遭遇UFO

“发现者”号是美国将宇航员送入轨道人数最多、执行任务最多的航天飞机，在长达27年的服役时间里，它拍下了不计其数的太空照片和视频。在这些珍贵的资料中，隐藏着“发现者”号遭遇UFO的秘密。

航天飞机拍到的奇怪影片

1991年9月15日，美国航空航天局在例行对“发现者”号拍摄到的照片和视频进行整理研究时发现了一件奇怪的事。在其中一段视频资料中，有几十个奇怪的亮点出现在“发现者”号周围，这些亮点以一种非常奇特的方式移动着，移动速度时而快时而慢，但是在移动时都会不停地发出亮光。在视频中，这些亮点的移动方向和飞行轨迹引起了航天专家们的注意，有些亮点以不可思议的速度冲向地球，有些亮点则在地球周围来回活动，还有些亮点在接近地球时又飞速地转换方向，重新冲向太空。

影片中的亮点究竟是什么

“发现者”号拍到的亮点到底是什么呢？一些科学家认为这可能宇宙中的大气

现象，但是这个说法完全无法解释这些亮点奇特的运行轨迹。从视频中看，这些亮点始终围绕地球活动，这绝不是一种巧合，它们奇特的移动轨迹证明，这些亮点极有可能是外星人派来的UFO，这些UFO正在对地球进行初步的探索。

宇航员的暗示

虽然美国官方并没有承认“发现者”号所拍摄到的正是UFO的影像，但是航空航天局的宇航员却在无意间暗示了UFO的真相。美国航空航天局的前宇航员、普林斯顿物理学教授布莱恩·奥列里曾提道：“有非常充分的证据显示我们被访问过，那些文明已经来到地球很长时间了。”而曾经参与登月计划的前宇航员埃德加·米切尔也说过类似的话：“我有幸能得到一个事实，那就是，我们的星球经常被访问，UFO是真实的。”

越来越多的证据表明，UFO经常造访地球，随着星际之间的联系越来越频繁，人类对宇宙的认识也会越来越深入。

澳大利亚飞机神秘失踪事件

1978年，澳大利亚一架飞机在飞行途中就像人间蒸发了一般神秘消失了，连残骸都没有留下。飞行员和地面控制中心最后的通话表明，这起神秘的事件似乎是一股强大的外来力量造成的。

飞行员的惨叫

1978年10月21日，一位叫腓特烈·瓦伦提斯的飞机驾驶员正驾驶着飞机飞往澳大利亚的金岛。腓特烈·瓦伦提斯虽然是一位年轻的驾驶员，但是他的驾驶经验十分丰富，这个航线又是他非常熟悉的，因此这趟飞行本应是驾轻就熟的。但是就在出发不久，他就发现自己前方有一个UFO，他立刻向地面控制中心报告了这件事。控制中心的管理人员正在雷达中搜索UFO时，就听见飞行员的惨叫：“这家伙在我上面呢！”之后又用急迫的声音呼叫，“墨尔本控制塔……”还没等他说完，飞机的通讯就中断了，片刻宁静过后，通讯器里又传来了令人毛骨悚然的金属声，几分钟后，一切又归于平静。

飞机人间蒸发之谜

飞机发生意外是在下午7点12分48秒，自从通讯中断后，飞机就像是人间蒸发了一样从雷达图上消失了。接到消息的澳大利亚军方立刻派出了部队展开了地毯式搜索，但是他们一点儿线索都没有找到。飞机消失的附近也没有任何飞机坠毁的痕迹，也找不到飞机的任何残骸，搜索工作就此不了了之。飞机神秘消失背后的真相却越来越扑朔迷离，这架飞机到底在空中遭遇了什么意外呢？

罪魁祸首是UFO吗

大多数人认为，这架澳大利亚飞机神秘失踪和它遇上的UFO有关。他似乎遭遇了十分可怕的事情。有人推测，也许外星人驾驶的UFO正在对飞机进行袭击，而通讯器中传出的金属声正是UFO袭击飞机时发出的声音。但是为何这场袭击没有留下任何残骸和痕迹呢？难道外星人将飞机和飞行员一同劫持了吗？谜团仍未解开。

影视档案馆

《The 4400》是一部科幻电视剧。剧中4400个人都是在不同时间、不同地点在一束光中消失，后来又被送了回来。这4400人实际上是被未来的人类绑架，而不是被外星人绑架。他们被送回来是为了阻止某种灾难的发生。

雪藏17年的录音

你知道吗？1991年，我国上海也曾经出现过UFO，而且还有目击者留下了当时的录音，但是这个录音一直到17年后才被公布。这个隐藏了17年之久的秘密到底是什么呢？

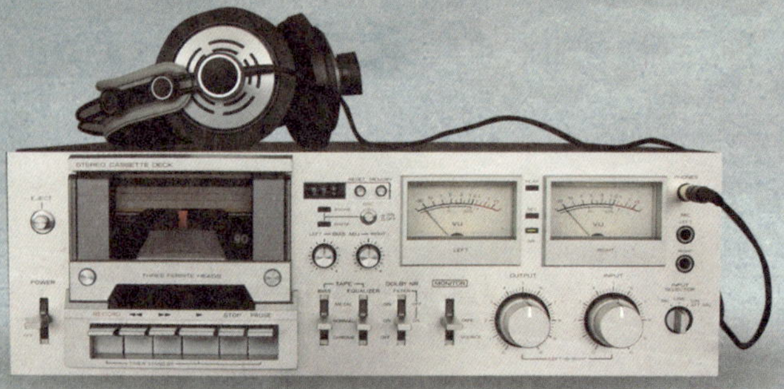

上海惊现UFO

1991年3月18日18时左右，上海的西北方向出现了一个UFO。它是一个会发光的物体，被发现时，它正在空中快速地移动，当时有不少市民停下了脚步驻足观看这一奇景。由于UFO移动速度极快，所以没有人来得及拍下照片，留下证据。此次目击事件被媒体报道后，很多科学家对事件的真实性表示怀疑，他们认为上海民众看到的可能只是我国空军新研制的飞行器，并非UFO。

17年后公布的录音

直到17年后，即2008年，一段揭示上海UFO事件真相的录音才被公布，录音是一位飞行员和地面控制中心之间的对话，现在就让我们一起来重温一下这段雪藏了多年的录音吧。

18点13分，飞机的飞行员呼叫地面控制中心：“现在，我前方有一个不明物体，像火球似的，正往北飞。”

18点15分，飞行员再次呼叫：“有一溜火球，现在隐隐约约能够看到，长度有五六米。拉了一溜往前跑，跑得挺快。”

18点17分，飞行员呼叫：“那个物体刚才是红的，像火球一样，现在又变成黑色的。”地面中心回话：“会不会是太阳反光造成的？”飞行员回话：“不是的，绝对是个东西在飞。”

……

17年前的真相

隐藏了17年的录音似乎将我们带回了1991年的那个傍晚。当晚从上海飞往济南的3556航班飞机起飞后，在空中遇到火球状的UFO，这个火球随后变成一溜火球，接着变成黑色鱼状拉烟UFO，后来变成两个上圆下长的黑色UFO，最后合二为一成为一个圆形的UFO。这个UFO飞行方向、速度和飞行高度不断变化，与3556航班飞机时远时近，3556航班飞机不得不多次改变航向，以免发生碰撞。至此，上海UFO事件的真相才被完全揭开。

知识链接

在我国出现的UFO目击事件中，目击者人数最多的是1981年7月24日22时33分至52分出现的螺旋状UFO，我国十多个省市的上百万目击者看到了UFO，其中甚至还有中国科学院南京紫金山天文台的天文工作者。

“空中怪车”降临贵阳北郊

1994年12月1日，我国贵阳北郊的都溪林场在一夜之间遭到了破坏，种种证据表明，这场灾难和当天凌晨时分经过贵阳上空的“空中怪车”有关。

奇怪的凌晨巨响

1994年12月1日凌晨3点钟左右，正当贵阳北郊的人们还沉浸在美梦中时，一声巨响划破了宁静的夜。这奇怪的巨响惊醒了贵阳北郊的很多市民，只听见窗外接连不断地传出轰隆隆的声音，这声音听上去和老式的火车驶过时发出的声音极为相似。若是仔细分辨，就能发现这声巨响是从天空中传来的。难道空中有奇怪的飞行物出现？有大胆的市民偷偷地透过窗户向外观看，只见空中有个巨大的发光体，这个发光体一边运行一边发出轰隆隆的巨响，就如同在空中行驶的怪车一般。

匪夷所思的灾难

贵阳北郊的都溪林场在一夜之间遭到了破坏，林场里的400多亩松树都被神秘地拦腰截断，只留下半截树桩，而被截断的树干也齐刷刷地倒向了西方，猛一看去，就像是灾难电影中的场景一样。与此同时，与林场相距5千米的铁道部车辆厂也遭到了严重破坏。厂房的围墙和房顶都无故倒塌了，在厂区中，一辆重达50吨的火车车厢甚至也被这股神秘的力量移动了20多米。但奇怪的是，这场灾难中并没有任何人畜伤亡，四周的高压输电线、电话、电缆等均完好无恙。

最有可能的猜测

一夜之间，贵阳北郊同时发生了两件怪事，那么在夜空中驶过的“空中怪车”是否就是造成这些灾难的罪魁祸首呢？大多数人认为，贵阳北郊出现的“空中怪车”就是一个从外星球来的UFO，这个UFO能够发出亮光，运行时也会发出巨大的声响，同时，它还拥有一种先进的武器，这种武器具有很强的冲击力，能使目标物瞬间被摧毁。但是为何UFO要袭击林场和火车生产厂呢？是有意为之还是仅仅在试验自己的新型武器呢？我们不得而知。

凤凰山的UFO事件

凤凰山坐落于黑龙江东南部，这里曾经发生过震惊世界的UFO目击事件。在这个事件中，最为扑朔迷离的就是外星人对目击者的袭击，这究竟是怎么回事呢？

降落在凤凰山的UFO

1994年6月的一天，一位叫作孟照国的人和朋友一起去凤凰山爬山，

在山上他们发现了一个奇怪的物体，这个物体体形巨大，像蝌蚪，是乳白色的，当他们想要近距离观察时，身体却突然像是遭受了电击一般，最后他们不得不悻悻地离开。回去之后，孟照国和朋友经过讨论，认为这个不明物体可能是降落在地球上的UFO，于是他们决定再次去凤凰山上一探究竟，这次他们提前带好了望远镜、照相机等器材，想要将这个不明物体拍下来。但是当他们来

到凤凰山时，却发现上次看到的UFO已经消失得无影无踪了，正在此时，孟照国突然大叫一声："来了！"，随即昏了过去。众人立刻抬头张望，却没有发现任何异常，最后他们不得不将昏迷的孟照国送到了医院。

外星人的袭击

到达医院后，孟照国依然昏迷不醒，医生对他进行了全身检查，却没有发现任何异常。又过了一段时间，孟照国终于醒了，但是朋友们却发现醒来后的孟照国变得十分奇怪，他的反应变得十分迟钝，还会怕光和铁器。更让朋友们惊讶的是，孟照国始终坚持认为自己看见了外星人，依据他的说法，在凤凰山上时，有一个黑衣外星人用手指发出了一束强光，将他击倒，而他也正是因此昏迷的。但是为何外星人单单袭击孟照国？为何他的朋友们都没有看见外星人呢？孟照国和其他目击者们都对此疑惑不已。

UFO重现凤凰山

在凤凰山UFO事件发生18年后，2012年7月8日，UFO又神秘地出现在了凤凰山。这次事件的目击者叫作李慧，当时她正和朋友们在凤凰山游玩，突然，她发现对面的天空中出现了一个会发光的飞行物。这时，其他的游客也陆续发现了这个飞行物，他们立刻联想到了之前在凤凰山发生的UFO目击事件，因此大家在第一时间就判断出这是一个UFO。有的游客用相机将UFO飞行的画面拍了下来，也为这次目击留下了图片证明。

> **知识链接**
>
> 迄今为止，UFO在凤凰山一共出现过三次，出现时间分别为1994年、2005年和2012年，这三次事件中目击者所看到的UFO形状略有不同，第一次UFO为乳白色蝌蚪形，第二次为碟形，第三次为圆形发光体。

为何UFO会三番五次地在凤凰山出现呢？有人猜测凤凰山内可能有个隐秘的UFO基地，这也是外星人在地球上的联络站之一，因此UFO才会数次在此处出现和降落。

被UFO盯上的客机

1967年，一架从秘鲁起飞的客机在飞行途中遭遇了UFO。随即，客机上的无线电和灯光系统出现了故障，客机上的飞行员和乘客在黑暗中感到了UFO带来的恐惧，也目睹了UFO在空中的高难度飞行“表演”。

飞机旁的不明飞行物

1967年2月2日下午6点，秘鲁利马福塞特航空公司的DC-4客机从皮乌拉起飞，依照原定的计划，这架飞机将降落在首都利马。6点30分，当飞机飞过瓦斯卡兰山脉时，客机的驾驶员奥斯瓦尔多·桑比蒂斯注意到飞机右侧出现了一束强烈的亮光，还没等他反应过来，一个发光的UFO就出现在了飞机的旁边。紧接着，这个UFO开始不紧不慢地和客机并列飞行，它飞行的高度和速度同客机一致，就像是在监视客机一样。这时，驾驶员才看清楚这个UFO，它的形状就像是一个倒过来的巨大漏斗，它的直径足有七八十米。在飞行时，这个UFO上方闪耀着蓝色的亮光，而下方则闪耀着红色的亮光。

被恐惧笼罩的客机

遭遇UFO后，客机的驾驶员立刻决定向地面的客机管理部门进行汇报，但是当他试图使用无线电和地面的管理人员进行联系时，却发现客机

上的无线电系统突然出现了故障，他无论如何尝试，都无法和地面取得联系。驾驶员立刻决定降低飞行速度，并且向全体乘客通报此事，几乎在同一时间，UFO开始朝着客机飞来，机舱中的灯光开始闪烁，最后全部熄灭了。在黑暗中，所有乘客都注意到了这个正向着客机飞来的发光物，恐惧在机舱中蔓延，有人开始尖叫，有人则完全被吓呆了。

UFO的飞行“表演”

就在UFO马上要撞上客机时，它突然停了下来，停留几秒之后，它又转身飞回了原来的位置。就在客机上的乘客们松了一口气时，UFO又出现在客机的旁边，开始绕着客机高速移动，时而向上飞起，时而俯冲下来，时而在空中盘旋，时而紧贴着飞机飞行。在飞行中，UFO上的灯光

也不断发生变化，一会儿变为蓝色，一会儿变为橙色，一会变为红色，就像是在进行奇特的飞行“表演”。没多久，UFO飞回了原来的位置，和客机并行了一段时间后，好像是对飞机失去了兴趣一般，快速离开了。

UFO带来的猜测

UFO离开之后，飞机上的无线电系统和灯光系统恢复了正常，客机的驾驶员立刻和地面进行了联系，汇报了刚才遭遇UFO的情形，但是地面上的监测系统却没有监测到任何不明物体出现。为何UFO要在这架客机旁进行飞行“表演”呢？有人推测这是外星人在炫耀自己星球的科技，也有人推测这是UFO对客机进行监视。对于这架客机上的驾驶员和乘客们来说，他们经历了一场惊心动魄的飞行，也见到了神秘的UFO。

影视档案馆

《楼上的外星人》是2009年上映的美国奇幻剧情片。几个青少年在自己度假的别墅里发现了四个外星人，他们可以控制成年人大脑，却无法控制孩子，于是这群孩子悄悄地团结在一起，开始了一场人类保卫战。

巴西柯拉瑞斯岛神秘光束事件

1977年，巴西柯拉瑞斯岛的上空出现了神秘的光束，当地许多居民被这种光束灼伤，一时间，恐惧笼罩了这个小岛。为了查明事情的真相，政府派出了调查小组，调查的结果表明，这种神秘的光束似乎和UFO有关。

神秘光束从天而降

1977年10月的一个夜晚，柯拉瑞斯岛的居民们大多已进入梦乡。突然，柯拉瑞斯岛的上空出现了一束诡异的亮光，这亮光划过了夜空，射入了一名叫奥利维耶的居民的卧室中。霎时间，奥利维耶的卧室被照得通明，而奥利维耶也被这亮光惊醒了。但还没等他反应过来，这亮光就移到了他的大腿上，随之而来的就是剧烈的灼痛感，紧接着，亮光又神秘消失了。这时，奥利维耶才发现自己的大腿上出现了一个红红的伤口，伤口的中间还有一个黑色的圆点。

接二连三的袭击

光束

在接下来的两个月里，神秘光束在柯拉瑞斯岛上空频繁出现，岛上的居民也接二连三地受到了光束的袭击。据当地医疗机构的负责人沃莱蒂·卡瓦略医生统计，两个月内共有80位居民被光束灼伤。同时，卡瓦略医生发现受伤居民除了皮肤上有红色的灼伤痕迹，还会出现脱发现象，部分伤者的皮肤还会变成黑色。卡瓦略医生认为，这是皮肤受到辐射的产生症状。

没有结论的调查

随着神秘光束事件愈演愈烈，巴西空军派出了调查小组前往柯拉瑞斯岛调查神秘光束事件。调查小组在柯拉瑞斯岛进行了调查取证，并对目击者进行了详细询问。四个月之后，调查小组结束了调查，而调查报告也被封存在了军方的绝密档案中。2005年，巴西空军公开了当时的调查报告，报告中有目击者的证词和调查小组拍摄的神秘发光物的照片，但是报告并没有给出明确的结论。

神秘光束和外星人有关吗

一些UFO爱好者认为，神秘光束事件和UFO有关。在目击者的证词中，多数人提到了曾在岛上看见会发光的不明飞行物出现，调查报告中的发光物照片也证明了这些证词的真实性。人们推测，这些发光物极有可能是UFO。而神秘的光束正是UFO发出的辐射光，当辐射光照射到人身上时，人的皮肤就会被灼伤。但是外星人为何要用神秘光束来袭击人类呢？这究竟是UFO无意中的伤害，还是有意为之的袭击呢？真相仍未揭开。

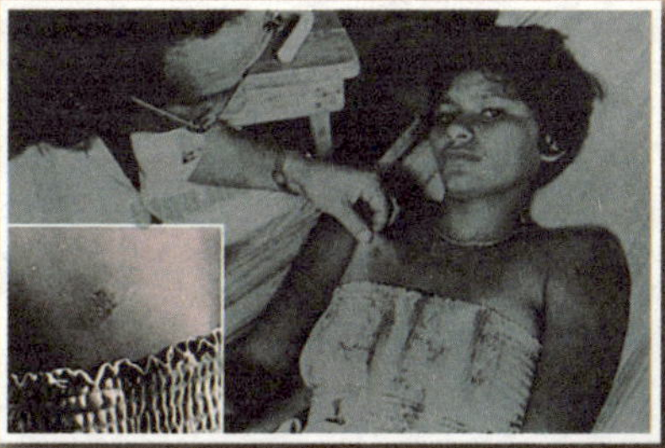
神秘光束受害者

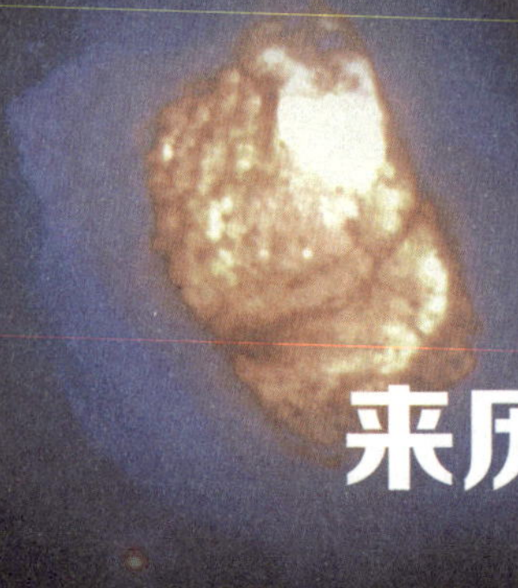

来历不明的神秘天体

1991年，美国的天文学家发现了一颗近地小行星“1991 VG”。数年以后，天文学家发现，这颗行星似乎并不是一颗普通的小行星，它极有可能同外星文明有关。

发现“1991 VG”

1991年11月6日，美国天文学家吉姆·斯科蒂在进行天文观测时发现了一个近地天体，经过一段时间的观察后，他认定这是一颗小行星，并将其命名为“1991 VG”。吉姆·斯科蒂认为，这颗小行星不过是一颗绕着地球做周期性飞行的普通行星，因此，刚被发现时这颗行星并没有引起科学家们的重视。

会“眨眼睛”的小行星

“1991 VG”被发现时，距离地球300多万千米。美国的天文学家吉姆·斯科蒂在亚利桑那州的基特峰国家天文台进行天文观测时，突然发现这颗正在向着地球移动的小行星，同时发现它的亮度也在运行中发生变

化。这个奇特的现象吸引了斯科蒂，斯科蒂继续观察，发现了其中的规律：每隔7分半钟，“1991 VG”的亮度就会变暗，随后它会重新变亮，看上去就像是在眨眼睛一般。这下斯科蒂彻底疑惑了，因为这是人造飞船才会出现的现象，这究竟是怎么回事呢？

天文学家的猜测

1995年4月，另一位天文学家邓肯·斯蒂尔发表了一篇文章，他认为“1991 VG”极有可能并不是天然的小行星，而是一艘人造飞船。斯蒂尔同时提出，这艘人造飞船有可能是人类早期发射后失踪的宇宙探测器，也

有可能是外星文明制造的宇宙飞船。斯蒂尔的文章在天文学界引起了争论，科学家们对人类发射过的探测器进行了统计，结果并没有找到和“1991 VG”相吻合的记录。这就表明，“1991 VG”可能是外星人制造的宇宙飞船，而且极有可能外星人早已发现了地球和人类的存在。

反对者的意见

并不是所有的天文学家都认同斯蒂尔的推测，有科学家提出，人类对宇宙的了解极为有限，“1991 VG”可能只是一个在运行中会出现特殊现象的小行星，我们并不能紧凭它光线的亮度变化就来断定它的真实身份。斯蒂尔同时指出，迄今为止，人类并未发现和“1991 VG”相似的小行星，因此它极有可能不是天然行星。

“1991 VG”消失了

“1991 VG”被发现后，不断地靠近地球。1991年12月5日，“1991 VG”飞到距离地球最近的地点。紧接着，“1991 VG”开始调转方向，离开了地球，朝着宇宙深处飞去。1992年4月27日，天文学家在美国基特峰国家天文台再次发现了“1991 VG”的身影，这也是人类最后一次看见这个神秘的天体。之后，这颗曾在天文学界引起争论的神秘物体就消失在了宇宙中。

“1991 VG”究竟是什么呢？它来地球的目的是什么呢？随着“1991 VG”的消失，这些问题也永远成了一个谜。

知识链接

近地天体简称NEO，指接近地球轨道运行的太阳系小天体。包括部分小行星、彗星、流星体等。

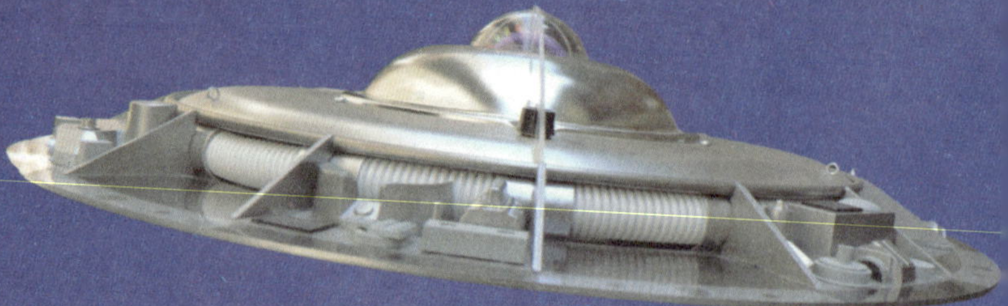

从天而降的“仙发”

1952年10月，法国西南部的奥罗伦圣马利的天空中飞过了一排UFO，之后，一束束白色的细丝从天而降，没多久，这些细丝又神秘地消失了。这些从天而降的细丝到底是什么呢？UFO为何会抛下这些细丝呢？

UFO留下的“仙发”

在奥罗伦圣马利，最早发现“仙发”的是当地中学总监普利尚家的一个孩子。当时他们全家正在吃饭，突然，一个孩子指着窗外大叫起来，普利尚抬头一看，天空中出现了一排奇特的飞行物。普利尚立刻联想到这正是报纸上提过的UFO，他定睛一看，发现这些UFO的身后有很多长长的白色细丝，正当普利尚想要仔细观察时，UFO已经飞走了，但是神秘的白色细丝落在了屋外的树木和房顶上。普利尚想要将细丝取下来研究，但是还没等他走到屋外，细丝已经神秘消失了。同一天，在法国其他地区，也有人目击到UFO，同普利尚一样，他们也亲眼见证了白色细丝从天而降，又神秘消失的过程。由于整个过程着实离奇，因此人们就将这种细丝称为“仙发”。

无独有偶的记载

法国天降“仙发”的事件发生后，一些UFO爱好者立刻联想到了18世纪英国作家吉尔伯特·怀特在《塞尔伯恩博物志》中记载的奇特“蛛丝”。在记载中，怀特提到在1741年9月21日黎明时分，英国的布拉特等地曾有奇特的“蛛丝”从天而降。这些“蛛丝”为白色，看上去闪闪发光，但是一旦有人接近，这些“蛛丝”就会神秘消失，就如同人间蒸发了一样。UFO爱好者们认为，怀特在书中所记载的“蛛丝”和法国出现的“仙发”正是同一种物质，而这种奇特的丝状物和神秘的UFO有着千丝万缕的联系。

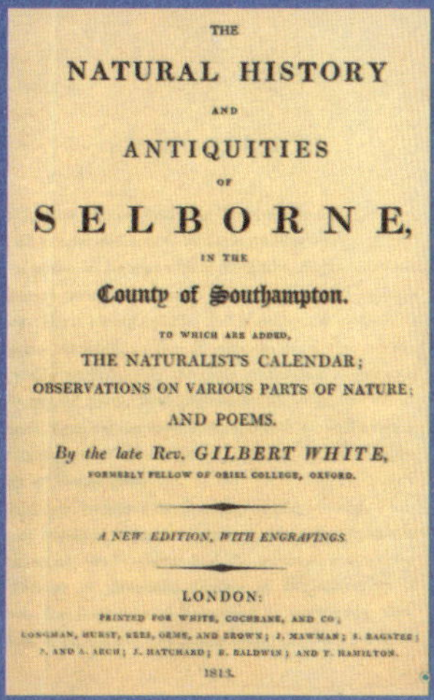

THE
NATURAL HISTORY
AND
ANTIQUITIES
OF
SELBORNE,
IN THE
County of Southampton.
TO WHICH ARE ADDED,
THE NATURALIST'S CALENDAR;
OBSERVATIONS ON VARIOUS PARTS OF NATURE;
AND POEMS.
By the late Rev. GILBERT WHITE,
FORMERLY FELLOW OF ORIEL COLLEGE, OXFORD.
A NEW EDITION, WITH ENGRAVINGS
LONDON:
PRINTED FOR WHITE, COCHRANE, AND CO;
1813.

《塞尔伯恩博物志》

无法解释的谜团

为了弄清“仙发”事件的真相，曾有目击者在1960年就此事请教了英国著名的博物学家、博物馆馆长克拉克。克拉克认为，由于“仙发”出现的时间非常短，在被发现后很快就消失了，而人们掌握的资料只有几张照片，所以，他无法进行科学检测，并不能断定这种仙发到底是何种物质，

也无法解释为何这种“仙发”会神秘消失，更无法解释仙发和UFO之间的关系。

众说纷纭的推测

从天而降的“仙发”究竟是什么呢？目前科学家们还不能给出明确的答案。有人推测，“仙发”可能是UFO在运行中产生的副产物，所以UFO才会在飞行途中不断地抛下“仙发”，而这种副产物具有自动溶解的功能，因此坠落后会立刻自动溶解。也有人认为，“仙发”是外星人在地球上进行某种实验使用的实验用品，溶解后会对地球上植物的生长产生某种影响。

从天而降的“仙发”究竟是什么物质呢？“仙发”有什么作用呢？为何UFO会将“仙发”抛下呢？这些谜团仍然困扰着人们。

探索·发现
——UFO的异变

UFO到底什么样？对于没有见过UFO的人来说，任何异常的现象都可能被视作UFO。那么，有哪些现象出现时和UFO形似呢？

球状闪电

球状闪电通常在雷暴时发生，是一种圆球形状的闪电，直径在1米以下，一般10厘米到20厘米。颜色除常见的橙色和红色，还有黄色、紫色、蓝色、亮白色、幽绿色。出现时大多伴有嗞嗞声和特殊的气味。科学界公认，球状闪电是一个等离子气体球团。近年来，一些研究等离子气体的科学家认为，UFO现象大概就是这种自然现象，所以在几次UFO会议上引起争论。一般认为球状闪电被误认为UFO的情况是存在的，但球状闪电理论却无法解释所有UFO现象。

沼泽火光

沼泽火光常发生在热带以及中纬度的沼泽低洼地区。它大小如同蜡烛，有十几厘米长，四五厘米宽；一般呈蓝色、绿色、红色或者黄色，未曾出现过白色的。这种现象发生时，火光有时候成群存在，有时候单独存在，常常静止地飘浮在空中，不发热也没有味道。引发这类现象的气体尚未被分析清楚，所以这类现象发生的原因也不明了。有人认为这可能是自然界中存在的有机物腐败之后产生气体，气体经自燃产生火光，因此这种火光也常被误认为UFO。

圣埃尔摩火

圣埃尔摩火一般在暴风雨天气里发生，它的外表看起来很像顶端发光的教学塔楼或船桅等尖状物体，而且还常常伴有噼里啪啦或嗞嗞的杂音。从远处观察圣埃尔摩火时很容易将它误认为UFO。

一些飞禽

有些鸟，尤其是白色鸟，很容易反射阳光，它们飞翔时就如移动的、发光的神秘光点。迁徙性鸟类，如海鸭或海鹅等，常在夜晚时分飞翔，它们飞翔时常会反射月光或者都市灯光，远看也像移动性光点。有的鸟飞行时会因为翅膀振击水面而产生怪异的飞行轨迹，人们远远看去也常误以为是UFO。

第四章

魅影重重

——中国古籍中惊现的外星人和UFO

Meiying Chongchong

——Zhongguo Guji Zhong Jingxian De Waixingren He UFO

苏东坡亲见UFO

苏东坡是北宋时期著名的文学家、书法家、画家，他留下的大量诗词至今仍然被人们传诵。在苏东坡留下的诗词中，人们发现了疑似UFO存在的证据，这是怎么回事呢？

苏东坡的奇遇

1071年，由于反对王安石新法，苏东坡被调离京城，调往杭州任职。在调往杭州的途中，苏东坡在江苏镇江的金山寺留宿，正是这一夜，苏东坡经历了一件奇事。金山寺是镇江当地著名的古寺，寺庙坐落在长江中的一个小岛上，从寺中望去，浩浩荡荡的长江美景一览无遗。寺中的住持久闻苏东坡的大名，于是便邀请他一同观赏落日美景。他们一见如故，一直攀谈到午夜时分。此时，江水中央突然冒出一团光，似通红的火把熊熊燃烧，在夜幕下分外耀眼，这团光照射着金山寺，连栖息在巢中的鸟都被惊动了，吓得四处飞窜。

看到这番奇景，苏东坡不由得惊呆了，他急忙询问旁边的住持为何会出现这样的景象，可是住持也没有办法回答苏东坡的问题。

> **知识链接**
>
> 清朝的《海盐县志》记载了顺治年间能够发出红光的物体在夜间神秘出现，并且照亮了整个夜空的情景：“清顺治十年闰六月二十四日，夜三更，红日出东北方，大如斛。夜半月始升，灭不见。”

如此壮观的景象断然不会是人类所为，难道是“鬼”在作怪？可是史料中又未曾记载会引起这种怪象的“鬼”，苏东坡心中充满疑惑。后来他在《游金山寺》一诗中记录了自己的这番奇遇：“是时江月初生魄，二更月落天深黑。江心似有炬火明，飞焰照山栖乌惊。怅然归卧心莫识，非鬼非人竟何物？”后人根据这首诗描述的场景，做了一个大胆的推测。

真相只有一个

这非“鬼”非“人”的奇景到底是什么呢？近年来，有人认为苏东坡亲眼见到的奇景不是别的，正是UFO出现时的情景。在900多年前的宋朝，科技水平还不发达，宋朝人不可能创造出这样的奇特景象，因此这奇景很可能是来自外星的高等文明所为。“江心似有炬火明，飞焰照山栖乌惊”不正是UFO经过时所产生的情景吗？迄今为止，似乎只有这个推测才能够解释苏东坡的奇遇。

苏东坡

赤焰腾空

你第一次听说外星人和UFO是在哪里呢？是不是从国外的UFO目击者报告里？但是你知道吗？早在100多年前，UFO就曾经在我国南京上空出现过，并且还有人把它出现的场景画了下来！

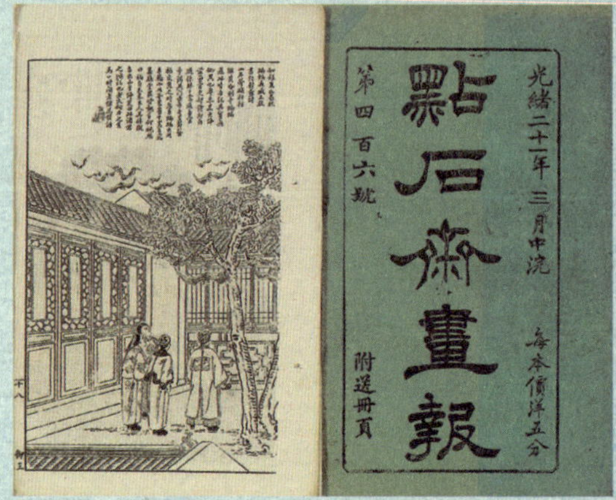

古画里的奇景

吴友如是清朝末年的书画家，他因曾主绘了《点石斋画报》而名噪一时，他的画作多以时事为题材，因此他的画集就是那个年代的手绘版“新闻画报”。在吴友如的画作中，最吸引人的要数一幅叫作《赤焰腾空》的画了，这幅画描绘了清朝末年发生在南京秦淮河上的一个奇景。在画中，一个巨大的火球正悬挂在天空，为了观赏此奇景，南京秦淮河的朱雀桥上挤满了民众。面对如此匪夷所思的景象，画中的人们有的交头接耳、议论纷纷，有的则露出惊讶的神色。

画家的“目击者报告”

吴友如的这幅画约作于1892年，除了惟妙惟肖地描绘出当时民众的反应，吴友茹还在画的上方用文字记载了这个奇景。在文字中，吴友茹提到

这个巨大的火球是在9月28日晚上8点钟出现在南京城上空的，当时南边的天空突然飞来一个红色的火球，火球自西向东，在空中缓缓运行着。由于当时天色已暗，因此，火球在空中的运行轨迹就显得分外清晰，越来越多的人发现了这个奇景，并聚集起来观察，仅秦淮河边的朱雀桥上就挤了数百人。就这样，在民众的围观下，红色的火球缓缓地飞来，又缓缓地飞走。当时，人们谁也不知道这个火球从何而来，也不知道这个火球是什么。从文字中我们可以看出，画家详细记录了火球出现的时间、地点、过程等，可谓是一份详细的“目击者报告”。

最多人亲历的UFO事件

《赤焰腾空》所描绘的奇景到底是什么呢？当时的人们对此也有诸多猜测，却没有人能够给出肯定的答案。但是以我们今天的眼光去看，不明发光物在空中运行，这不正是UFO在空中出现的场景吗？若是对照着画家所做的“目击者报告”来看，在100多年前的南京，秦淮河边的数百人无意间目睹了地外文明和地球的一次亲密接触，而这也成了我国古代最多人亲历的UFO事件。

仙蜕

蒲城是位于陕西关中平原东北部的一个小县城，800多年前，这个不起眼的小县城中发生了一件奇事。考古学家经研究表明，这件奇事似乎和一个奇特的人形生物有关，这究竟是怎么回事呢？

《蒲城县志》里的怪事

蒲城縣志序

根据《蒲城县志》记载，800多年前，蒲城遭遇了百年难遇的大旱，当地人纷纷到县城附近供奉着尧山圣母的古庙中求雨。不久之后，天降甘霖，蒲城的旱情得以缓解。百姓们为了感谢古庙中的神灵，便集资翻修古庙，重塑神像。在翻修的过程中，工人们凿开了古庙旁边的一块巨石，没想到在凿开的巨石中出现了一些奇特的纹路，为了一探究竟，工人们一鼓作气将巨石全部凿开，没想到巨石中却出现了一具人形骸骨！这个奇特的人形骸骨镶嵌在巨石中央，骸骨的头、手臂、腿等骨骼清晰可见，栩栩如生，仿佛是有能工巧匠将人形骸骨刻在了石头中央一般。

巨石中的人形骸骨是“人”还是“神”

听闻此奇事之后，蒲城当时的县令立刻赶到现场，眼前的场景令他大吃一惊。县令命人将凿下的石块拼接起来，结果发现凿开的石块与有人骨的石块原本是一体的，并没有人工开凿的痕迹，这究竟是怎么回事呢？石块中的人形骸骨究竟是谁留下的呢？县令百思不解。为了记录这件奇事，县令撰写了文章《金灵应观仙蜕岩碑》，在文章中他感叹道：“石中之骸，人耶？神耶？”同时，县令命人将刻有人形骸骨的奇石放置在一个洞穴之中，用一个石块堵住洞口，在石块上刻下了“仙蜕”二字，并将发现奇石的经过刻在了碑石上。

考古学家的发现

《蒲城县志》记录的奇事是真是假呢？许多考古学家曾前往蒲城一探究竟，他们虽然并没有找到那个刻有人形骸骨的奇石，却发现了刻有“仙蜕”字样的碑石碎片，这证明《蒲城县志》中的记载确有其事。随后，考古学家们又依据《蒲城县志》的记载，在发现奇石的山崖上进行勘测，结果却意外地发现了许多珍贵的化石，如古象、古马等史前动物的化石。

“仙人”的身份之谜

考古学家的新发现让许多人开始重新审视《蒲城县志》中的记载。越来越多的人开始相信那块巨石中藏着的正是远古时期的一个人形生物。但是在远古时期，奇特的人形生物又怎么会出现呢？为何在蒲城没有发现其他的人形生物化石呢？有人大胆地推测，石刻中出现的人形生物并非地球上的生物，而是一个外星人，他来到地球之后由于某种原因在地球上居住了下来，最后在巨石中化为了化石。也有人推测，巨石上的人形石刻是外星人留下的画像。

蒲城的巨石中藏着的究竟是哪种生物的秘密呢？这块巨石和外星人有关吗？800多年过去了，依然没有人能够解答这些疑问。

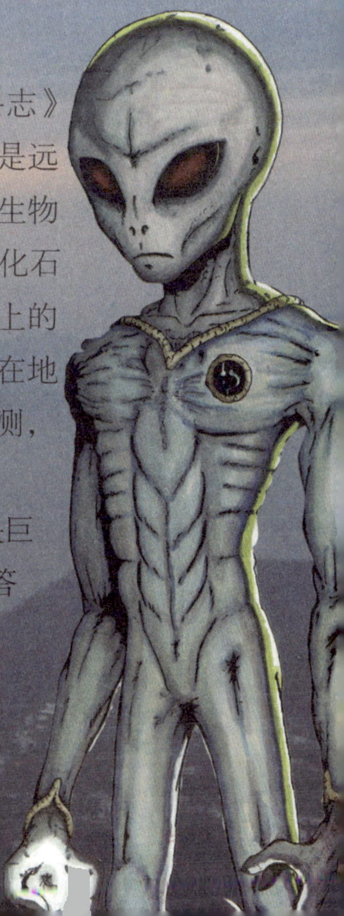

史书中关于UFO的记载

史书是我国古籍中专门记载历史的书籍，通常由历代的史官所写，相对来说，比较真实。纵观历朝历代的史书，其中也隐藏着许多关于地外文明和UFO的描述，现在就让我们一起来看看吧。

《史记》记载黄帝乘着神龙而去

《史记·封禅书》中记载了中华文明的始祖黄帝的一个故事：黄帝曾经在山上采集金属铸成了一个鼎，这个鼎能够召唤神龙。神龙来到之后就垂下了长长的龙须，黄帝带着七十个大臣一起沿着龙须来到了神龙之上，接着神龙喷出火光，带着他们离去。有人认为，史记中描述的这个神龙就是一种UFO，它只有通过特殊的金属才能启动，因此黄帝才会在山上采集金属制鼎，而描述中神龙的龙须就是它的支架，最终神龙喷火而去的描述也和UFO出现的场景如出一辙。

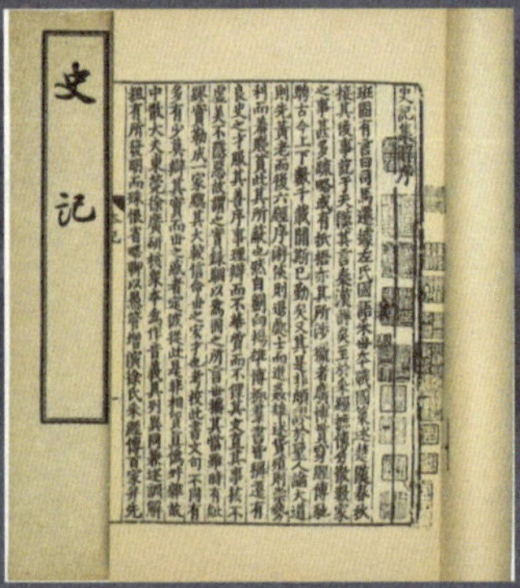

《资治通鉴》中匪夷所思的天象

《资治通鉴》是宋朝司马光所著的史书，其中记载了许多奇特天象。例如其中有一则记载如下：“（西汉武帝建元二年）夏，四月，有星如日，夜出。”漆黑的夜里，天空中突然出现了像太阳一样耀眼明亮的物

体，这个会发光的“星星”到底是什么呢？《资治通鉴》中还记载了西汉成帝建始元年的一件事：“八月，有两月相承，晨见东方。”早晨太阳从东方出来，而同时能在东方出现的绝不会是月亮，何况有两个月亮！它们的形状像是互相托承的弯月，绝不是自然星体。这些奇异的天象都不能用天文学的知识来解释，因此有学者推测，出现的这些都是外星人的宇宙飞船。

《宋史》里从天而降的鸡头奇人

《宋史》中也有令人匪夷所思的记载。其中有一则记载了西安官塘曾出现的一个身高远远超出普通人的奇人。曾有人目睹这个奇人像是会飞一般从天而降，更令人惊讶的是，他的头部看上去就像是鸡头一般，而他的身体却和正常人大同小异。这个奇人从空中飞下后就在田野中行走，若是遇上了行人，还会与之攀谈。这个会飞的奇人看上去并不像地球人，也许他就是一个外星人，乘坐着宇宙飞船而来，而“鸡头”也许正是他所戴的宇航帽。

影视档案馆

《UFO》是2013年出品的一部科幻电影。影片讲述了外星人军队入侵地球的场景，而影片中的外星人正是乘坐着足有一个城市大小的巨大UFO来到了地球。

沦波舟

沦波舟是东晋时期王嘉所著的《拾遗记》中提到的一种神秘的交通工具。这种交通工具极为超前，能够载着人在海底潜行。更为扑朔迷离的是，乘坐这种交通工具的是一个从神秘“王国”而来的使者。

来历不明的神秘使者

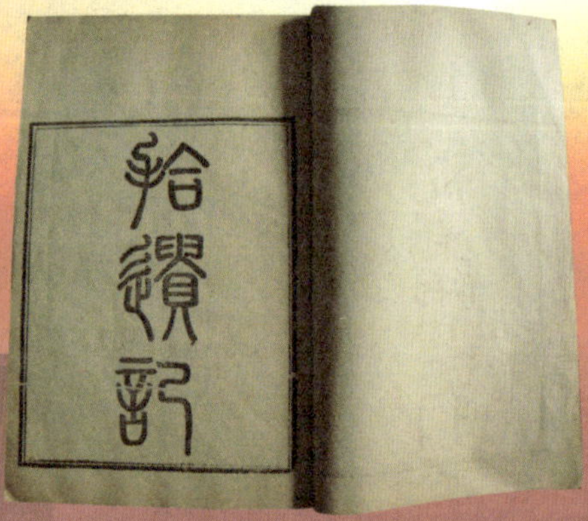

沦波舟载于《拾遗记》中的《秦始皇》一篇中。据记载，一日，一名神秘的外来使者来到了秦始皇的王宫中，谁都不知道这名使者是如何进入王宫的。秦始皇看到这名使者十分震惊，因为他的样子和人类差别很大。他身高足有十丈，是个不折不扣的巨人，他的双眼能够发出耀眼的光芒，最为奇特的是，这名使者的耳朵长在脖子上。使者自称来自非常遥远的宛渠国，他一路经过了大山大海，而沦波舟就是他的交通工具。

翻江入海的奇特工具

在神秘使者的描述中，沦波舟像是海螺一般，不仅能够日行万里，而且能够翻江入海。最为神奇的是，沦波舟可以在海底潜行，即使再汹涌的海浪也不能将其打翻。根据书中的描述，沦波舟就像是一种极为精巧的海底潜艇。但是在数千年前的秦朝，又是谁造出了如此神乎其神的交通工具呢？人们普遍认为，这位神秘使者应该来自外星球，而沦波舟正是外星文明的产物。这才能够解释为什么数千年前就出现了高科技潜艇——沦波舟。

秦始皇和外星人的“外交”

这位自称来自宛渠国的使者还同秦始皇讲述了自己家乡的一些事。他说在自己的家乡待一日等于在秦朝过了万年，他的家乡还有一种奇特的石头，这种石头只需要小小的一粒就能够用于夜间照明，这种石头被置于河水之中，甚至能够达到阻断河流的作用。此外，使者还说这并非他们第一次来到地球，远古时他们就曾来过这里。有学者认为，这些记载进一步证明了神秘使者来自我们完全不熟悉的外星球，他们乘坐着自己的宇宙飞船——沦波舟来到地球，而秦始皇和外星人的这次接触正是人类和外星人之间的一次亲密“外交”。

秦始皇

与“火星人”接触

火星是太阳系的八大行星之一，在很多科幻电影里人们对来自火星的智慧生物有着各种各样的猜想。但是早在一千多年前，“火星人”就已经来过地球了，并且留下了自己的神秘预言，这件事就记载在了《搜神记》中。

自称“火星人”的童子

“火星人”出现的时间是公元260年，当时中国正处于魏、蜀、吴三国争霸时期。一日，东吴的孩子们正聚在一起玩耍，突然一个陌生的童子前来和他们搭讪。这名童子穿着一身青色的衣服，年龄有六七岁。大家都不认识他，于是就有人问他从哪里来。这名童子回答：“我看你们一群人在这里玩得十分开心，所以就来了。”孩子们端详了一番，发现童子的眼睛十分特殊，能发出耀眼的光芒，他们感到害怕。童子似乎看出了他们的心思，说道：“你们不用害怕，我本不是这里的人，我来自荧惑星，我来是要告诉你们，天下终会归于司马。”荧惑星正是古代人对火星的称呼，因此这名童子是一名不折不扣的“火星人”。

飞天而去的奇异景象

听到童子的奇言之后，孩子们吓坏了，他们一哄而散，跑去找来了家里的大人。大人们听闻此事，也急忙跑来想要一问究竟。这时，童子突然说已经到了自己离开的时间了，他不能在此地久留。话音刚落，童子便纵身一跃，像小鸟一样飞上了天空。人们抬头一看，童子越飞越高，一道白光在童子身后闪现。没多久，童子和白光就一同消失在了人们的视线中。

神奇应验的预言

童子虽然神秘离去，但是他留下的预言在当地的孩童和大人的口中流传了下来，人们对此半信半疑。公元 280年，也就是童子出现20年后，战乱纷飞的三国时代终于结束了，而统一天下的正是西晋武帝司马炎，童子的预言得到了应验。那么为何火星人要来到地球并且留下神奇的预言呢？这是某个火星人一时兴起的恶作剧吗？他们又是如何知晓地球上未来会发生的事的呢？没有人能回答这些问题。

影视档案馆

《火星叔叔马丁》是一部带给人欢乐的电影。影片中的马丁叔叔尽管长得和人类一样，并且说英文，但他具有火星人的很多特点，如他头后有着可伸缩的天线，能把自己隐身；他能看透别人的心思；能遥指移物；等等，由此种种问题和笑料不断产生。

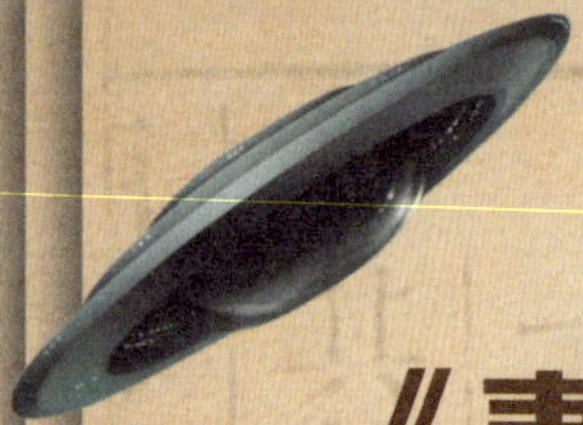

《夷坚志》中记载的UFO

在古代，人们常会把自己观测到的天象记录下来，若是遇到自己从未见过的奇特天象，更会将其详细记录。在这些异乎寻常的天象中，有许多至今没有办法用普通的天文学知识来解释。这些历史记录似乎证明UFO从古代起就开始出现在地球上。

《夷坚志》里的奇光

宋朝人洪迈所撰的《夷坚志》里记录着一件奇怪的事：宋宁宗庆元初年，临川有两个兄弟。一天晚上，兄弟二人发现自家屋后的松树上出现了一个奇特的圆形物体，远远看去，这个物体就像太阳一样，能发出亮光。正当二人感到惊讶时，这个会发光的圆形物体突然快速地向上升起，同时发出了极其耀眼的红色光芒。突然之间，漆黑一片的夜被这亮光照得通明，连地上的野草都能看得清清楚楚。在亮光的照耀下，许多小动物也受到惊吓跑了出来，没多久，这亮光就随着圆形物体越升越高，终于消失在了夜色里，周围的一切回归平静。

夜里升起的“太阳”是什么

这次奇特的经历让兄弟二人久久不能平静，他们认为只有太阳才会发出如此耀眼的光芒，才能够将黑夜变为白昼，因此二人认为自己看到的是黑夜里升起的“太阳”。那么真相到底是什么呢？如果回顾《夷坚

志》中的描述，我们就会发现描述中的圆形物体和现代人眼中的UFO非常像，而他们看到的，其实就是UFO起飞的过程！

无独有偶：UFO回归

在其他年代的古籍中，我们也发现了相似的描述，明朝时的太史令刘伯温就曾记录过自己亲历海中大月升起的过程。这个圆形的物体会发出耀眼的光芒，而它的移动速度也很惊人，转瞬间就从大海中升到了天空中，凡是看见的人无不惊诧万分。刘伯温的描述和《夷坚志》中兄弟二人的经历极为相似，可见此类圆形UFO曾不止一次造访地球，它们的降落地点有时在地面上，有时在海中。

> **知识链接**
>
> 《宋史·天文志》记载了宋朝不明发光体经过夜空的情景：“（开宝）二年六月己卯，有星出河鼓，慢行，明烛地。”

为什么UFO会如此频繁地造访地球？它们三番五次地前来到底有何目的呢？我们不得而知。

神秘的怪车事件

在我国的民间传说中，有一个神秘的神仙——雷神。传说他有一个神奇的交通工具——霹雳车，这个交通工具在运行时会轰鸣大作。若是在古籍中仔细探寻就会发现，雷神和霹雳车也许并不仅仅是传说，很有可能是曾经生活在地球上的不明生物和其交通工具。

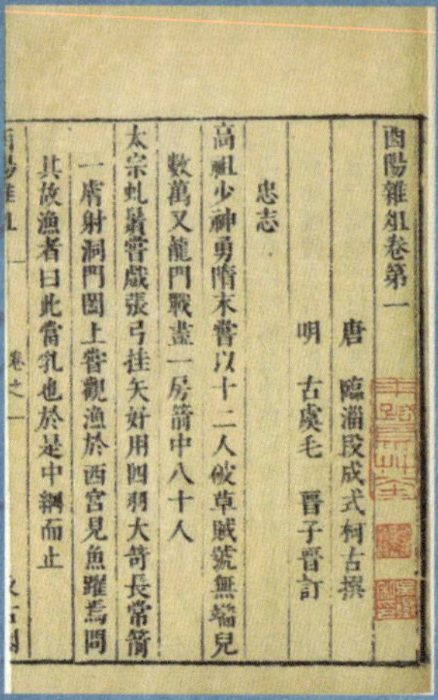

酉陽雜俎卷第一
唐 臨淄段成式柯古撰
明 古虞毛 晉子晉訂
忠志
高祖少神勇隋末嘗以十二人破草賊號無端兒數萬又龍門戰盡一房箭中八十人
太宗虬鬚嘗戲張弓挂矢好用四羽大笴長常箭一膚射洞門闔上嘗觀漁於西宮見魚躍焉問其故漁者曰此當乳也於是中網而止

雷神和他的霹雳车

《酉阳杂俎》是唐代文人所著的笔记小说，其中收录了大量的奇闻逸事，霹雳车就是其中的一则。故事发生在一个叫作介休的小县城里，一天夜里，有个赶路的人中途借住在路边的寺庙里。半夜时分，赶路人听到有人在敲旁边的房门，随后，房门外的人说要借霹雳车一用。过了很久，房间里才传来了回应："大王说霹雳车正忙，现在不能外借。"门外的人再三求借。这时赶路人透过窗户悄悄向外一看，只见有五六个人将一个大车抬出，车上插满了旌旗，而旗子展开时就会有耀眼的光芒射出。见此情景，赶路人立刻想到了雷神的传说，难道自己看到的竟是雷神出行的场景？第二日，介休当地狂风大作，突降暴雨，赶路人

这才确信自己昨夜所见正是雷神和他的霹雳车。

雷神究竟是谁

在古代传说中，雷神起初是一个龙身人头的怪物，若是敲打其肚子，肚子能够发出响亮的雷声，而霹雳车则是载着雷神四处活动的交通工具。《酉阳杂俎》中的记载若为实，那么霹雳车就是一个能够发出异响、放射异光的交通工具。有人推测，霹雳车以自然界中的能源作为燃料，它每次出现都会引发雷雨。根据这个推测，霹雳车可能是由比现代人类科技更发达的高等生物所造，而这个高等生物正是被人们看作神仙的雷神。

隐居地球的外星人猜想

有人猜想，地球上曾经隐居着一些来自外星球的外星人，他们因为各种各样的原因不得不在地球上暂时栖息。由于这些外星人的形象和人类大相径庭，他们的交通工具又很先进，因此这些外星人就被地球人看作具备超能力的“神”。等条件成熟后，这些外星人就乘坐着交通工具回到自己的家乡，只留下了一些神秘的传说。

古人看到的各种UFO

外星人的宇宙飞船到底长什么样子，是什么形状的呢？我们虽然没有亲眼见过外星人乘坐的飞船，但是在我国一些古籍中，我们也能找到一些有关UFO形状的历史资料。

声如铜铁的仙船

《蜀中广记》中提到一本古籍——《洞天集》，该古籍中记载着UFO目击者对于外星人的宇宙飞船的描述：“长五十余尺，声如铜铁，坚而不蠹……往往飞去复来，广明已来失之，槎亦飞去。”描述指出当时的人们看见了一个长五十余尺的会飞的仙船，这个仙船非常坚固，能够发出金属般的声音，它在空中飞来飞去，最后不知飞到哪里去了。

似金背虾蟆的发光物

《酉阳杂俎》中也有关于UFO形状的描述：“有人玩，八月十五夜，月光属于林中，如疋布。其人寻视之，见一金背虾蟆，疑是月中

知识链接

根据目击者的报告，目前为止，出现在地球上的UFO形状多为碟形。科学家认为，这是由于这种形状的飞行器能够最大程度地消除空气阻力，运行时也更容易转换方向。

者。”文中提到中秋之夜树林中出现了一个能够发出亮光并且能够照亮天际的物体，这个物体背后鼓出一块，像是一个趴着的蛤蟆。根据这些描述，这个UFO的形状和我们最熟悉的飞碟形状几乎完全一致。

会飞的圆形火球

清代的笔记小说《壶天录》中记载了一个圆形UFO出现的场景：“天半有一红球，大如车轮，华彩四射，流于云端，隐约有声，余光越三刻，始敛尽焉。”根据描述，这是一个圆形的UFO，它会发出红色的光芒。在其运行的过程中人们还隐约能够听到声响。同其他的UFO类似，它发出的光也极为耀眼，持续时间足有45分钟。

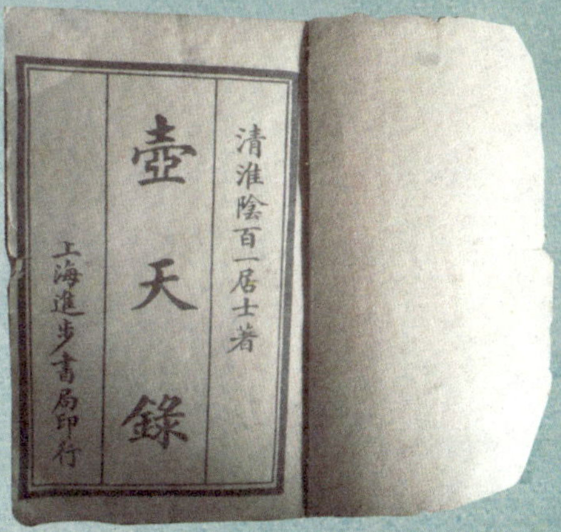

虽然这些关于UFO的描述距今已有千百年，但是其中所描述的UFO的形态、运行方式等特征和现代很多UFO目击者的描述如出一辙。由此可见，千百年来，外星人从来不曾放弃和地球的亲密接触。希望有一天，我们能够看到坐在UFO中的外星人的真实面目。

梦中飘移事件

100多年前，湖北的一位农民曾经在梦中神秘飘移数百千米，种种证据表明，这次匪夷所思的飘移事件和外星人及UFO的出现有密不可分的关系，那么事情的真相到底是什么呢？

湖北农民的奇遇

湖北的《松滋县志》中记载有这样一件事：1880年，湖北松滋一位姓覃的农民遇到了一件奇事，他在自己家房屋后的山林里发现了一个奇怪的发光物。这个发光物发出了五彩斑斓的光，看上去就像传说中会发光的“宝物”一样。覃姓农民认为自己在无意间发现了一个无价之宝，于是便想上前一探究竟。没想到他刚刚靠近这个发光物，就昏昏沉沉地睡了过去。在睡梦中，他觉得自己的身体似乎飘了起来，迷迷糊糊中他想要挣扎一下，却发现身体无法动弹。又过了一段时间，他突然从空中落下，此时他才完全惊醒。惊吓之中，他发现自己到了一个完全陌生的地方，向当地人询问之后他才知道自己当时正位于数百千米之外的贵州，后来他一路乞讨问路，花了18天才回到家。

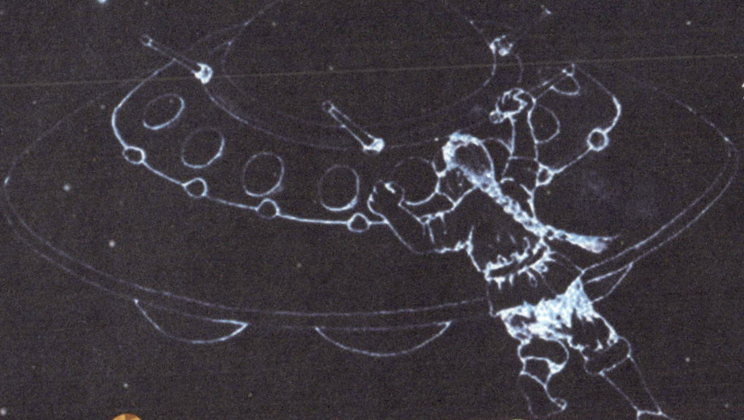

梦中飘移千里的疑团

手无寸铁的农民为何会神秘飘移数百千米呢？当时的人们认为，覃姓农民的奇遇同他看到的神秘发光物有关。这个发光物具有“神力”，能在空中飞翔，也能让人失去意识。那么这个发光物是什么呢？许多学者推测，这个发光物正是UFO，覃姓农民在无意间发现了外星人的秘密，外星人为了避免泄密，就用UFO的特殊引力将农民吸上天空，并且带着他飞行了数百千米，确认覃姓农民不会对自己产生威胁后才把他放下。

UFO劫持事件

像这个农民一样被UFO神秘劫持的事件并非仅此一件，近年来，世界各地都发生过类似的事件，事件的经过同我国古籍中的这一记载如出一辙。外星人为何要劫持发现了UFO踪迹的地球人呢？他们到底有什么怕被人类发现的惊天秘密呢？他们又是使用何种手段使人类失去意识，从而乖乖被劫持呢？一直到今天，依然没有人能够回答这些问题。

知识链接

UFO劫持事件指人类被外星生物以各种手段绑架、劫持。根据现有的信息，外星人劫持人类的手段通常是控制人类的意识、消除人类的记忆等。

尧帝时期出现的UFO

尧帝是上古时期的帝王，他制定了历法，测定了季节节气，是中华民族最为德高望重的贤君之一。世上流传着许许多多发生在尧帝时期的小故事，其中最具神秘色彩的要数《拾遗记》中所记载的“飞船”和“白羽仙人”了。

能上天入海的“飞船”

《拾遗记》中记载着尧帝时期发生的一件怪事。当时正是尧帝登位的第三十年，此时，在西方的海面上出现了一艘神秘的大“船”。每当夜晚来临，这艘“船”便散发出奇特的光芒，它的光时明时暗，远远看去就像是星月出入一般，因此当时的人们便叫它“贯月槎”（槎在古文中是船的意思）。最为神奇的是，这艘“船”不仅仅能够在海面上航

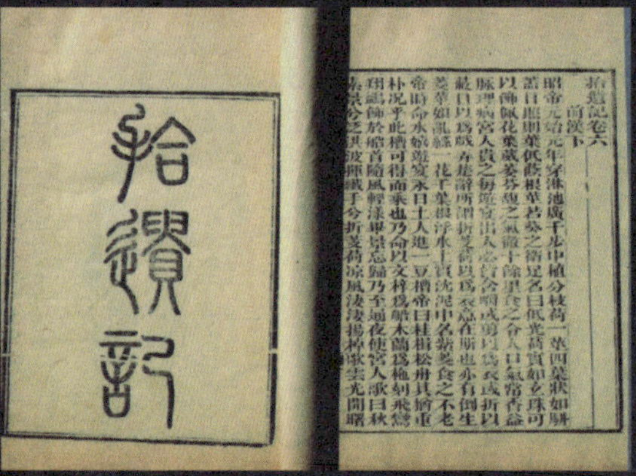

行，还可以在天空飞翔，相传它每十二年就会绕天地一周，如此循环往复，日夜不停。

飞船上的白羽仙人

传说中，神奇的飞船上住着神秘的仙人。这些仙人身形奇特，他们浑身上下长满了白色的毛，头上戴着奇怪的帽子。仙人们还有许多人类闻所未闻的本领，例如，他们可以呼风唤雨，只需将露水吞入口中再喷出，则天地昏暗，日月无光。此外，仙人们虽然没有长翅膀，但是可以像鸟一样在空中自由翱翔。相传，到了大禹当部落联盟首领的时期，仙人们就乘坐着飞船离开了，自此民间再没有人看见过这艘飞船。

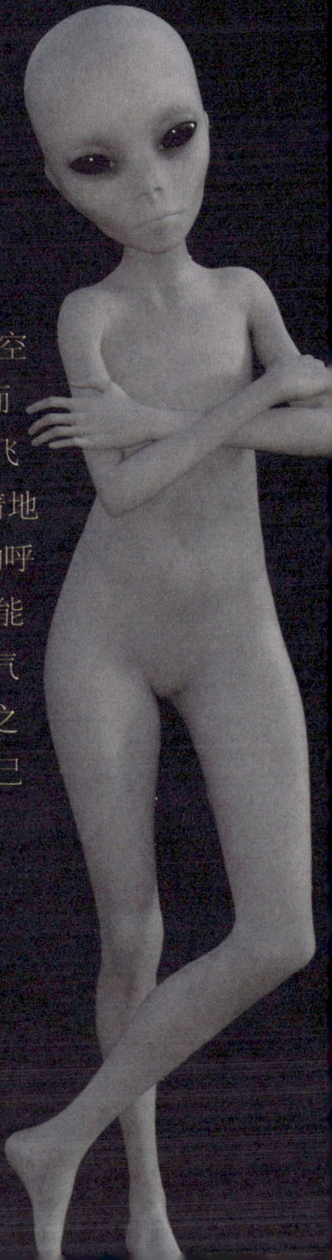

监视地球的宇宙飞船

尧帝时期出现的神秘飞船看上去似乎是一艘来自外太空的宇宙飞船，飞船上的仙人就是戴着宇航帽的外星人，而他们的目的可能是监视地球。从传说中可以看出，这艘飞船在地球上停留了很长时间，在此期间，飞船不停地绕着地球运行，同时外星人对地球做了大量的研究。他们展示的呼风唤雨的“神力”可能正是在研究地球上的气候环境，待研究完成之后，他们便乘坐着自己的飞船离开了地球。

影视档案馆

《我的个神啊》是印度的一部喜剧奇幻电影。影片中一位外星人研究者来到了地球，为了找到自己丢失的飞船遥控器通讯设备闹了许多笑话。

星槎

“槎”在古文里是“船”的意思。古籍中记载着一种特殊的槎——星槎。相传乘坐星槎的人可以到达星空，进入天河。听上去这种星槎就像是可以进入太空的宇宙飞船一般。那么，这究竟是怎么一回事呢？

通往银河的星槎

在晋代的古籍《博物志》中记载着有关星槎的一个故事。当时人们认为天上的银河和大海是相通的，想要到达银河，就必须乘坐一种叫作星槎的交通工具。有位少年曾经乘着星槎到了银河。过了几十天，他随着星槎来到了一个奇特的地方，该地的居民说此处是牵牛星，后来少年又乘坐着星槎回到了地球。少年回来之后，当时著名的星象学家说观测到牵牛星曾有异象，推测是有外物入侵，少年一算，那正是自己乘坐着星槎到达牵牛星的时间。

张骞的星槎奇遇记

还有一个与星槎有关的传说和出使西域的张骞有关。在出使西域的途中，张骞遇到了一艘奇特的大船，他坐着大船走了一个月，终于来到一处。该处的风俗景物和汉朝极不相同，惊讶之

下，张骞不由得询问当地人，当地的居民说这里并非人间，临走时他们送了张骞一块当地的石头，嘱咐他将此石带回家乡，并告诉张骞他通过这块石头可以知道他想要的答案。回到家乡后，张骞将奇石进献给了汉武帝，但是满朝文武谁也说不出这块石头的来历，只有一位星象家认为这块石头不是人间之物，而是牵牛星上的石头。

古人的太空遨游记

这两个和星槎有关的故事有着许多相似之处。许多学者认为所述之事并非无稽之谈。故事中提到的星槎可能正是外星人的宇宙飞船。外星人乘坐宇宙飞船来到地球，幸运的是，也有地球人受到外星人的邀请乘坐着宇宙飞船来到了太空中，到达了外星人的故乡。张骞所带回来的石块可能是外星球上的石块。这些推测是否属实呢？是否曾有古人幸运地进入太空？外星人又是如何解决重力和氧气的问题的呢？疑问依然存在。

张骞

扬州怪珠事件

《梦溪笔谈》是宋代科学家沈括的一部著作，它详细记录了我国的自然科学、工艺技术及社会历史现象，是一部综合性笔记体著作。这部著作记载了许多奇闻逸事，其中最扑朔迷离的要数扬州怪珠事件了。更让人感到不可思议的是，近年来人们发现这个记载在古籍里的事件和UFO之间有着千丝万缕的联系！

神秘现世的怪珠

《梦溪笔谈》中记载了这样一件奇事：北宋时期，扬州城内出现了一颗神秘而巨大的怪珠，这颗怪珠会发出明亮的白光，远远看去，就像是皎洁的月亮。若是在近处观看，就会发现怪珠所发出的光芒极为耀眼，在夜里甚至能够将周围照得通亮，就像是白天一般。根据记载，怪珠常在傍晚时分出现，最初有人在城边的沼泽中看见怪珠，后来越来越多的人发现了怪珠的存在，但是奇怪的是，它总是出现在扬州城内的各个湖泊中，甓社湖、新开湖等湖中都留下了它的身影。

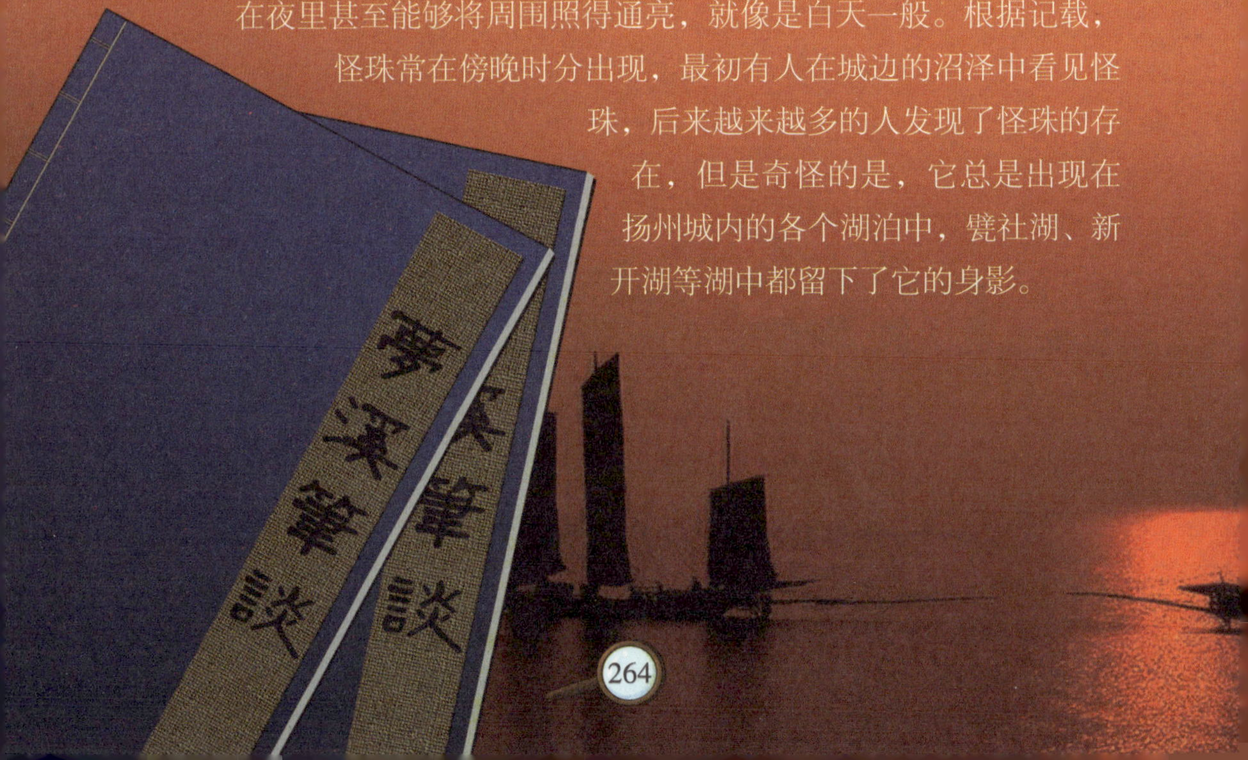

影视档案馆

《深渊》这部影片讲述了美国一艘核潜艇的队员在雷达屏幕上发现一个不明物体，此时，潜艇突然被撞击，沉到了一个无底深渊，于是，以巴德为首的钻油工人奉命前往拯救潜艇队员的故事。

亲历者的记载

《梦溪笔谈》并非唯一记录扬州怪珠事件的著作。其他史料中也有许多亲历者对怪珠的记载描述。宋朝一位叫作崔公度的文人曾写过一篇《明珠赋》，文中就记载了自己看见怪珠的情景：怪珠发出的光照亮了夜空，而怪珠也在湖中快速地移动，围观者莫不啧啧称奇。一时之间，扬州的怪珠成了远近闻名的胜景，许多人不远万里来到扬州就是想看怪珠。

怪珠又神秘消失

会发光的怪珠在扬州城整整出现了十余年，这十余年里，扬州城的百姓已经渐渐地将怪珠当成扬州城的一部分，并且把它称为高邮湖八景之

一。但是几乎在一夜之间，怪珠又神秘地消失了，没有人知道它从何处来，也没有人知道它去了何方，自此扬州城内再无人见过怪珠。

谜团背后的真相

若是重新对这些记载怪珠的史料进行研究，我们就会发现怪珠“其行如飞”“杲杲如日”等的特点和现代人对于UFO的描述如出一辙，会发光的怪珠也许正是外星人的飞船。还有人推测，怪珠是外星人派来收集地球湖泊资料的飞船，因此它才会长时间在湖泊中活动。但是为何怪珠只在扬州出现过呢？这依然是一个无法破解的谜团。

探索·发现
——我国古代的志怪小说集

很多人都喜欢读神怪之类的书，这类书以想象丰富、奇异怪诞的故事吸引人，使人读起来酣畅淋漓。我国古代的志怪小说就是其中的一类，并且流传至今，影响深远。

《搜神记》

《搜神记》是一部志怪小说集，是东晋史学家干宝所著，共有四百五十四篇古代的神异故事。《搜神记》内容十分丰富，有谶纬神学、神仙变幻、精灵物怪、妖祥卜梦，还有人神、人鬼的恋爱，等等。篇幅短小，情节简单，设想奇幻，富于浪漫主义色彩。书中保留了相当一部分西汉流传下来的历史神话流传说和魏晋时期的民间故事，是集我国古代神话传说之大成的著作。

《拾遗记》

《拾遗记》又名《拾遗录》，东晋王嘉所著，是我国古代神话志怪小说集。《拾遗记》中有很大一部分内容是对历史遗闻的记载，所涉人物、事件，往往见诸史传，具有强烈的志怪色彩。其中记载有某些幻象，如“贯月槎”“沦波舟”。文字绮丽，辞藻丰茂，所叙之事皆情节曲折，对后世有较大的影响，历代词人，取材不竭。《拾遗记》是六朝志怪小说的代表作之一，也为唐代“传奇”的繁荣发展开辟了道路。

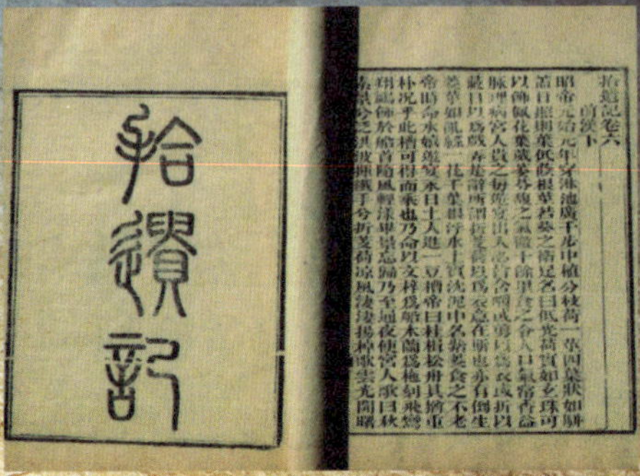

《夷坚志》

《夷坚志》是宋代的洪迈所著的志怪小说集。它取材繁杂，包括梦幻杂艺、冤仇报应、仙鬼神怪、医卜妖巫、忠臣孝子、释道淫祀、贪谋诈骗、诗词杂著、风俗习尚等等，内容大多神奇诡异，虚诞荒幻。其中有不少故事反映了当时的现实生活，是宋代社会生活、宗教文化、伦理道德、民情风俗的一面镜子，为后世研究宋代社会提供了丰富的历史资料。从文学发展史上看，《夷坚志》是宋代志怪小说发展到顶峰的产物，是自《搜神记》以来中国小说发展史上的又一座高峰，对后世产生了极大的影响。

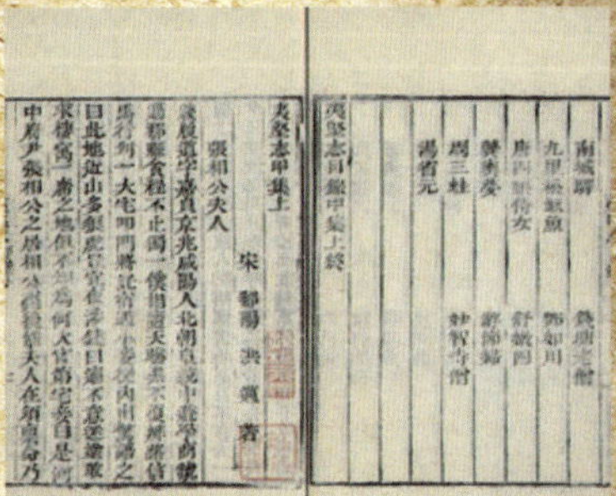

第五章

人类探索外星文明的步伐

Renlei Tansuo Waixing Wenming De Bufa

人类探索外星文明的历史

除了地球，宇宙中还有没有其他诞生了文明的星球呢？如果有的话，这些存在着地外文明的星球又在哪里呢？上百年来，这些问题始终困扰着科学家们。为了找到问题的答案，他们开启了外星文明的探索之旅。

19世纪的探索

早在19世纪末，著名的物理学家尼古拉·特斯拉就曾经提出人类可以用无线电传输的方式在宇宙中搜寻地外的智慧生命。经过三年的搜寻之后，特斯拉检测到了一种和地球上的无线电信号完全不同的信号。他认为这个信号可能来自宇宙中的某处，这也是人类第一次尝试搜索宇宙中的信号。

尼古拉·特斯拉

倾听火星的声音

进入20世纪后，随着无线电技术的发展和科技水平的提高，人类开始主动搜索地外星球的信号。1924年8月，当“火星大冲”（火星与地球在太阳的同侧且三者连成一条直线，是火星与地球距离最近的时候）

时，美国专门使用了一艘装有无线电接收器的飞船来“倾听”来自火星的声音。

“奥兹玛计划”启动

20世纪60年代，真正意义上的地外搜索项目开始启动。1960年，美国的科学家弗兰克·德雷克启动了“奥兹玛计划”，他利用射电望远镜对宇宙中的星团进行了监测，希望收集到地外文明存在的证据。

向宇宙发射的人类信息

1974年，美国的科学家使用射电望远镜发射了一束无线电信号，这也是人类首次向宇宙传递无线信号，这个信号由1679个二进制数字组成，如果信号被地外智慧生命接收，他们会读到如下信息：用二进制表示的1—10的10个数字、DNA所包含的化学元素序号、核苷酸的化学式、DNA的双螺旋形状、人的外形、太阳系的组成、望远镜的口径和波长。科学家们期望这些符号能够被外星人接收并且破译，从而开启两种文明之间的星际联系。

迄今为止，科学家们仍然持之以恒地进行着对外星智慧文明的搜寻工作，我们虽然不知道到底何时才能收到来自宇宙的信息，但是总有一天，都会揭开宇宙和地外文明神秘的面纱。

搜寻地外文明的“先驱者”

“先驱者”号探测器是美国发射的一系列行星探测器，这些探测器在星际空间穿梭，给人们带来来自宇宙的信息，同时也不停地寻找着可能存在的外星文明。

飞向宇宙的“先驱者”号

1972年3月，美国航空航天局发射了“先驱者”10号航天飞行器，它是第一艘近距离观测木星的飞行器，也是第一艘飞出太阳系的人造飞行器。“先驱者”10号发射一年多后，1973年12月，它为人类发回了第一组近距离拍摄的木星及木星卫星的照片，为人类研究木星提供了丰富的资料。

飞船上的“人类名片”

“先驱者”10号的外壳上有一个特殊的“人类名片”，它是一块镀

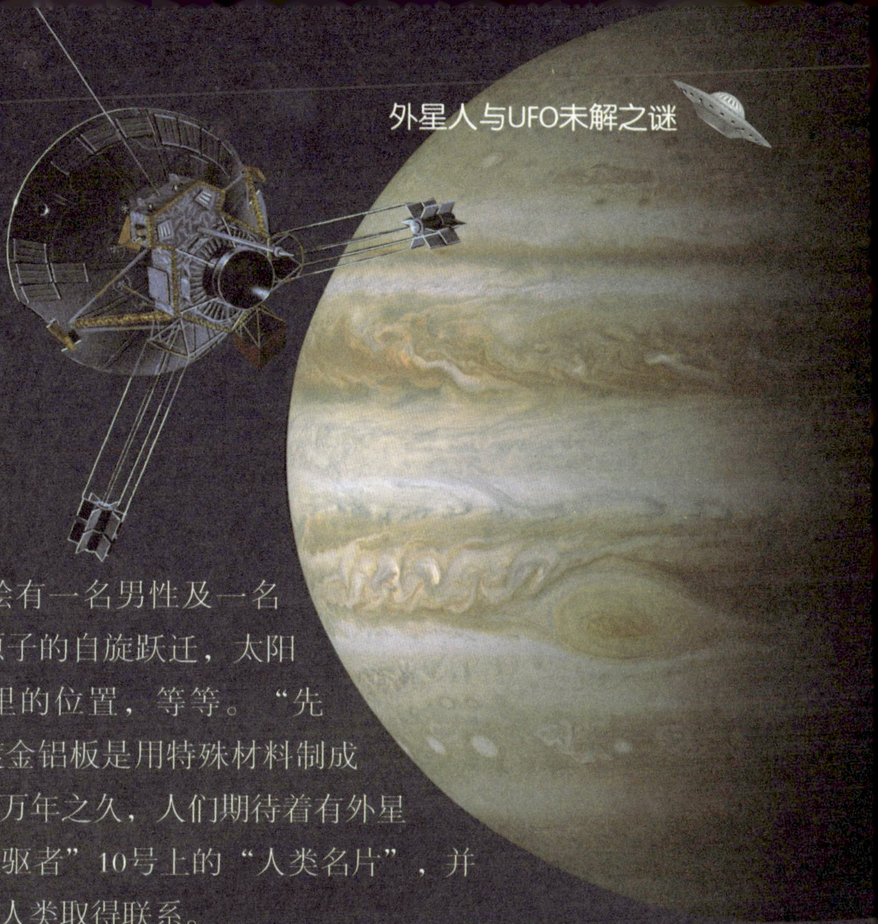

金铝板。铝板上绘有一名男性及一名女性的图像，氢原子的自旋跃迁，太阳与地球在银河系里的位置，等等。“先驱者”10号上的镀金铝板是用特殊材料制成的，它能够保存亿万年之久，人们期待着有外星生物能够发现“先驱者”10号上的“人类名片”，并根据上面的信息同人类取得联系。

消失的宇宙飞船

迄今为止，“先驱者”10号已在太空中遨游了数十载，人类现在已经完全探测不到“先驱者”10号的位置信息。据美国航空航天局发布的新闻公报介绍，人类最后一次接收到来自“先驱者”10号的信号是在2003年1月，自此之后，人类再也无法探测到“先驱者”10号的位置了。科学家们推测，这是由于它携带的动力已经耗尽，无法再向地球发送信号。

虽然人类再也无法探测到“先驱者”10号的位置，但是它所携带的“人类名片”依然存在于宇宙中的某处。也许有一天，会有外星智慧生物根据名片上的信息找到地球，找到人类。

人类对木卫二的探索

木卫二是1610年著名的物理学家和天文学家伽利略发现的卫星。近年来发现的证据表明，木卫二具备生命诞生所需要的基本条件，因此，科学家们普遍认为，木卫二是人类已知的卫星中最有可能出现生命体的星球。

含氧的大气层

早在20世纪，天文学家们就用哈勃空间望远镜对木卫二进行了观测。观测到木卫二表面包裹着一层含氧的稀薄大气。天文学家们推测，可能是带电粒子的撞击和太阳光中的紫外线的照射使木卫二冰质表面的水分子分解后形成了氢和氧，氢因原子量低而逃逸，原子量相对较高的氧则被保留了下来，所以木卫二的大气层中有了氧气。

冰层下的“海洋”

“伽利略”号是美国1989年发射的木星探测器。在“伽利略”号发回的照片中，科学家们发现木卫二

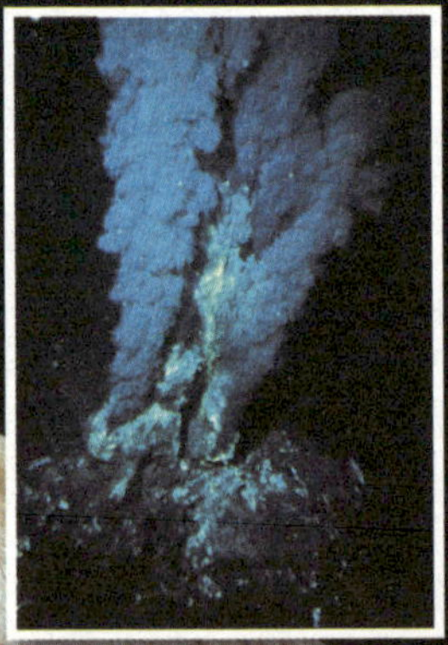

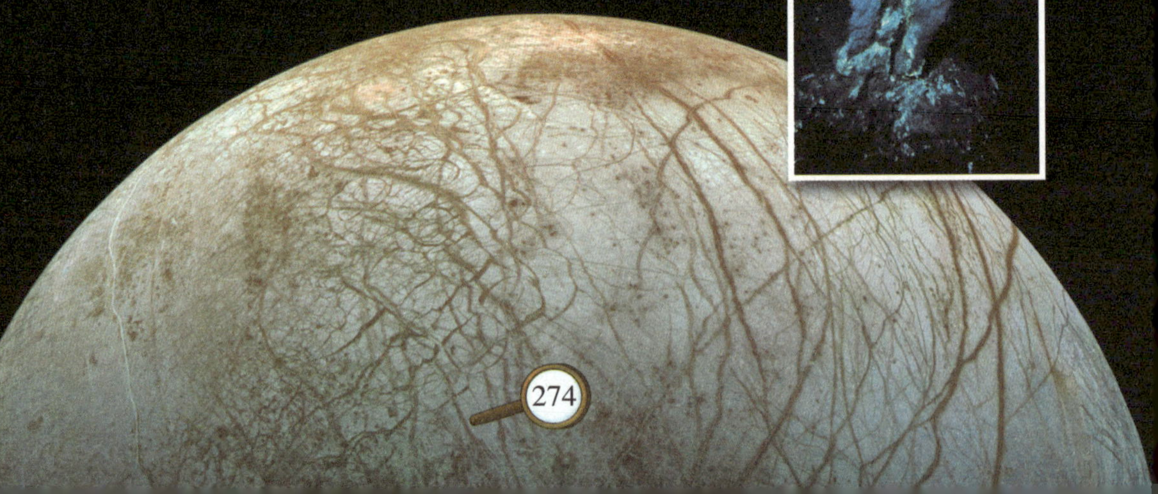

的表面照片与地球北极地区的照片极为相似，据此科学家们推测，木卫二表面厚厚的冰层下藏着一个巨大的“海洋”。如果这个推测为真，木卫二就是太阳系内除了地球之外唯一一个存在液体水的星球。

木卫二上发现有机物

2013年，美国航空航天局发布了一份声明，声明指出他们发射的探测器在木卫二表面发现了一种叫作层状硅酸盐的黏土矿物，这种矿物可能是彗星或者小行星撞击木卫二带来的残余物。由于有机物是生命诞生的必备条件，因此这个发现进一步表明木卫二上可能有或者曾经有生命诞生。

目前，美国航空航天局正在筹划一项前往木卫二的探测计划，探测器预计于2022年左右发射升空。科学家们希望通过这个探测计划来证实木卫二是否有生命存在。

知识链接

2004年，美国航空航天局与诺思罗普·格鲁门公司签订了研制“木星冰月轨道器”的合同，该轨道器将被用来研究木星及其卫星。轨道探测器会环绕每颗卫星飞行，深入研究它们的组成、历史和是否存在生命。

人类对外星朋友的亲切问候

若是遇到了外星人，你会怎样和他们打招呼？又会怎样和他们介绍地球呢？1977年，美国航空航天局发射了“旅行者”1号和“旅行者”2号宇宙探测器，这两个探测器带着人类对外星朋友的问候飞向了太空。

来自地球的唱片

“旅行者”1号和“旅行者”2号宇宙探测器的侧面分别固定着一个铝制的盒子，盒子里装着一张镀金铜质唱片，这张唱片正是人类送给外星朋友的礼物。唱片中有人类的自我介绍以及人类对外星朋友的亲切问候，这张珍贵的唱片也被人们称为“地球之音”。除了唱片外，铝盒子中还装有一个瓷唱头、一枚金刚石唱针，同时，铝盒外包装上还刻着用科学语言表达的唱片用法。

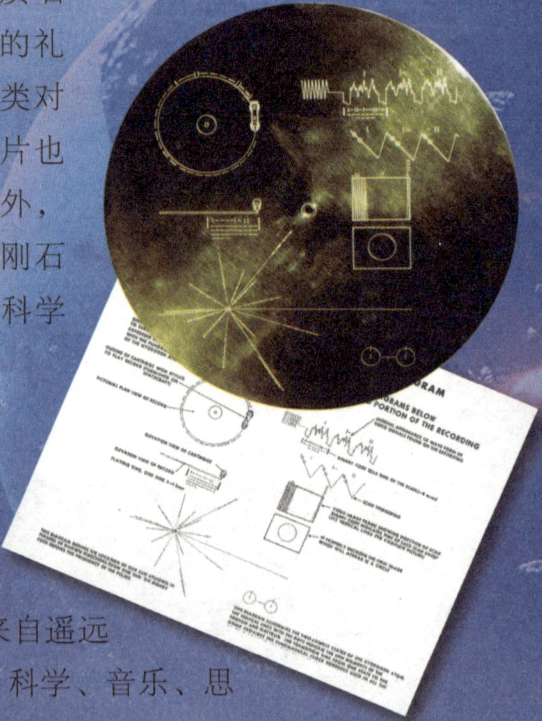

人类的美好祝愿

“旅行者”号所携带的唱片中录有当时的美国总统卡特对宇宙的希望和对外星朋友的美好祝愿：“这是一个来自遥远的小小星球的礼物。它是我们的声音、科学、音乐、思想和感情的缩影。我们正在努力使我们的时代幸存下来，使你们能了解我们的生活情况。我们期望有朝一日解决我们面临的问题，以便加入银河系的文明大家庭。这个‘地球之音’是为了在辽阔而令人敬畏的宇宙中寄予我们的希望、我们的决心和我们对遥远世界的美好祝愿。”

美国第39任总统卡特

发往宇宙的地球“名片”

“地球之音”唱片中还包括115张图片、35种自然界音响、27首世界名曲和近60种语言的问候语。唱片中介绍了太阳系的概况及其在银河系中的位置、地球的面貌、人类的科学技术发展状况及社会状况等。可以说，唱片是全面反映地球和人类状况的“名片”，科学家们希望“名片”能够被外星朋友看到，从而开展人类和宇宙其他外星智慧生物的交流。

迄今为止，携带着人类对外星朋友亲切问候的唱片已经在宇宙中遨游了数十年，也许在未来的某一天，来自外星的朋友会带着人类的“名片”来到地球，带来来自宇宙的友好问候。

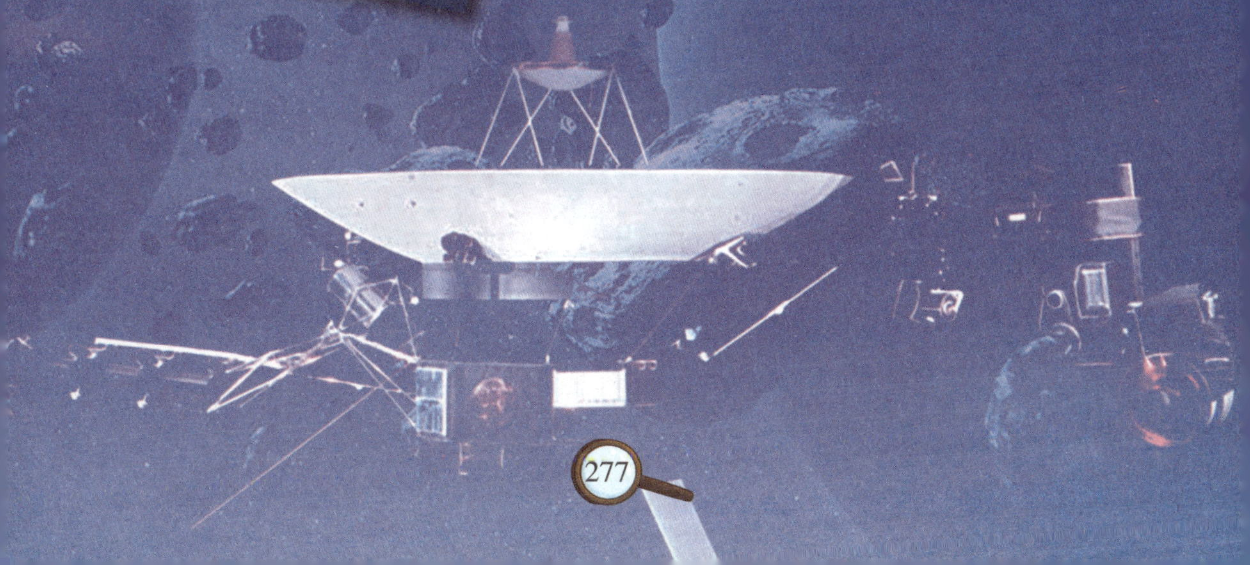

搜寻地外文明的计划

搜寻地外文明的计划早在20世纪60年代就已经开始了。这个计划致力于用射电望远镜等先进设备接收从宇宙中传来的电磁波，从中分析有规律的信号，希望借此发现外星文明。

搜索外星人的“来电”

在搜寻地外文明的探索计划中，科学家们尝试使用一台口径为26米的射电望远镜来接收来自宇宙的信号。科学家们相信，无边无际的宇宙中必定不止人类一种智慧生物，来自外星的智慧生物一定会向宇宙发出自己的信号。我们只要持之以恒地搜索，就一定能收到来自外星人的“来电”。在计划中，科学家们对地球附近的650多个星球进行了观测，希望能收到外星人的信号。

世界各地的“搜寻者”

在搜寻地外文明的计划开启之后，世界各地的科学家都自发地投入了这个搜索计划中。苏联的科学家们曾成立了专门的管理委员会负责此项工

作，他们使用高加索山上的射电望远镜进行搜索和监听；加拿大安大略省的亚冈昆射电天文台也曾对地球附近的一些星球进行观；测澳大利亚、德国、法国、荷兰等国家也参与了此项计划，开始对宇宙中的信号进行搜索和监听。

来自宇宙的“Wow!”信号

1977年8月16日，美国俄亥俄州立大学的大耳朵电波望远镜在进行宇宙搜寻时无意间检测到了一个奇特的信号，这个信号的特征显示它来自太阳系之外，信号整整持续了72秒钟。信号的记录者在收到信号后，在报表上圈出了这个信号，并在旁边写上了“Wow!”，自此这个来自宇宙的信号就被命名为“Wow!”信号。这个信号出现之后，科学家们试图在同样的频率上再次对它进行搜寻，但是在随后的几十年中，这个信号再也没有出现过。

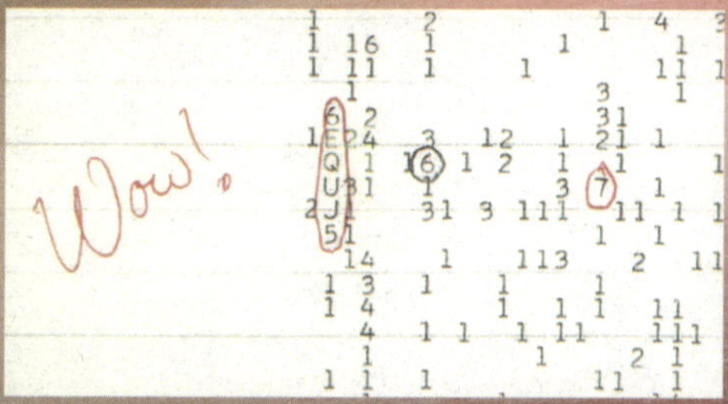

迄今为止，搜寻地外文明的计划依然在进行，科学家们虽然还未发现外星人存在的有力证据，但是他们坚信，这项计划将是人类探索宇宙的重要途径。

搜寻地外文明最有力的工具

在美国发起的搜寻地外文明的计划中，射电望远镜是最主要的搜索工具。在世界各地的射电望远镜中，2007年投入使用的艾伦射电望远镜阵列又被誉为“世界上用于搜寻银河系中其他文明最有力的工具”！

搜寻地外文明的专用工具

艾伦射电望远镜阵列是由搜寻地外文明计划研究所和美国加州大学的伯克利分校的射电天文学实验室一同设计开发的射电望远镜系列。这个望远镜的设计开发共耗资5000万美元，它是专为搜寻地外文明设计的，同其他的射电望远镜相比，它的性能极高，而且具有全天24小时不间断地观测宇宙的功能。

大范围的宇宙搜寻

艾伦射电望远镜阵列的第一组建在加州旧金山以北的哈特-克里克高原上，这里人烟稀少，没有多余的无线电波干扰，因此射电望远镜能够最大限度地进行宇宙搜寻。艾伦射电望远镜阵列投入使用后，它的第一个任务是对银河系的上千亿颗恒星进行扫描，然后对大约100万个可能存在无线电信号的恒星系统进行更加详细

的考察。科学家们认为，只有不断地扩大搜寻的范围，才有可能发现外星人的信号。

深入的宇宙研究

除了搜寻外星人的“来电”，艾伦射电望远镜阵列还能够对宇宙进行深入研究。同普通的射电望远镜相比，它的拍摄范围更广，拍摄精度更高，它能够拍摄到距离地球220万光年的仙女座的清晰射电图像，并有能力对脉冲星、黑洞、暗物质、引力波和我们未曾发现的现象进行研究，从而加深人类对宇宙的认识。

暂停工作的遗憾

艾伦射电望远镜阵列虽然在搜寻地外文明的计划中做出了突出的贡献，但是它的使用和维护都需要大量的资金。2011年，在艾伦射电望远镜阵列工作四年之后，美国搜寻地外文明计划研究所遗憾地宣布，由于资金匮乏，他们不得不关闭这一设备。

艾伦射电望远镜阵列的暂时关闭使得地外文明搜寻计划的进程受到了影响，但是科学家们搜寻地外生命的热情并没有消退，人类对宇宙探索的脚步也永远不会终止。

搜寻外星人的新途径

我们该如何在宇宙中搜寻外星人的踪迹呢？科学家们尝试过许多方法。近些年来，科学家们寻找到了搜寻外星人的新途径：“污染物”追踪法和定向能系统。

独辟蹊径的“污染物”追踪法

凡是有生命存在的地方，就必然有污染物，因此“污染物”也许可以帮助我们找到外星生命。科学家认为，如果宇宙中的某颗星球上存在地外文明的话，他们也许会和人类一样在生产生活中排出大量的污染物。如果以其中的某种污染物作为指标进行监测，人类就有可能发现存在外星生命的星球。

科学家们选择了一种叫氯氟碳化合物的化学物质作为污染物的追踪对象。氯氟碳化合物在自然界中不能天然形成，只有通过人为的方式才能够释放到大气中，同时，这种化学物质极易被探测到，即使在大气层里的含量极少，人们也能探测到，因此有科学家认为追踪氯氟碳化合物将成为未

来探寻外星人的主要方式之一。

目前，美国航空航天局已经将这种全新的宇宙探测途径列入了计划之中，在未来的几年中，他们将发射詹姆斯·韦伯太空望远镜展开探测任务。詹姆斯·韦伯太空望远镜可以检测大气中的氯氟碳化合物，一旦其含量超标，望远镜就会将数据发回地球。

寻找外星生命的新方法——定向能系统

定向能系统不同于传统的探测方法，它利用激光驱动方式发射大量“纳米小卫星”，使其飞往恒星际空间主动探测外星生命。当外星生命在运用定向能技术开展一些应用时，可能会无意间将能量束扫过我们的探测卫星，这样我们就能够短暂地观测到能量爆发信号。这将大大提高我们探测到同样正致力于搜寻地球文明的外星文明的概率。

全新的外星人探测途径能不能带给我们全新的惊喜呢？让我们拭目以待。

知识链接

氯氟碳化合的能够破坏臭氧层，而且它具有吸收特定波长的红外线的功能，因此科学家们可以通过红外望远镜来对不同星球的大气层中的氯氟碳化合的含量进行观察和测定。

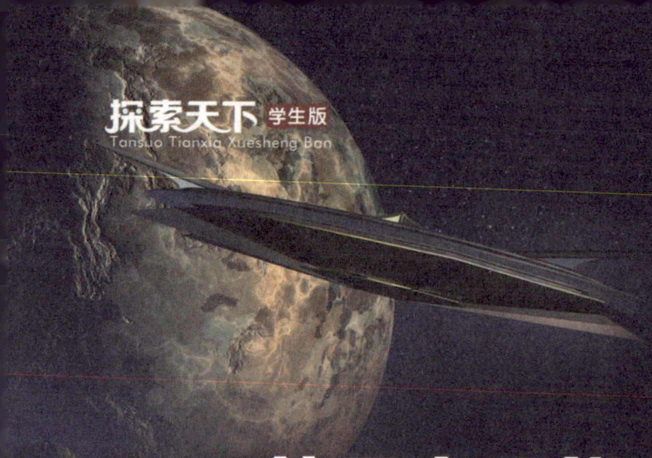

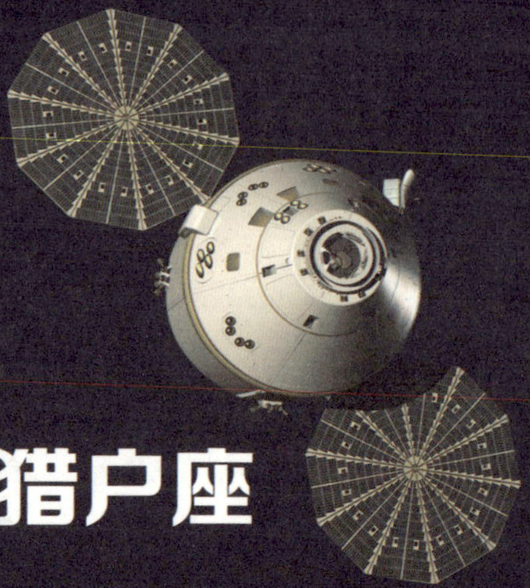

外星人可能来自猎户座

关于猎户座的传说，数不胜数，而且猎户座都以不同的形象出现。为何当时的人们会对这个星座情有独钟呢？也许，这些神秘的现象都和外星人有关。

你了解猎户座吗

猎户座，赤道带星座之一，被双子座、御夫座、大犬座、金牛座、波江座等星座环绕着。形状像一个左手持盾、右手挥刀，与面前的金牛搏斗的猎人，其北部沉浸在银河之中。星座主体由参宿四和参宿七等4颗亮星组成一个大四边形。面积为594平方度，居第26位。纬度位于+85°和−75° 之间，可全见，最佳观测月份为1月。

外星人留下的“密码”

猎户座是以希腊神话中的名猎手命名的，是冬夜星空中最好认的一个星座。在古埃及语中，猎户座就是“回天之门”，是所有神居住的地方。巧合的是，科学家们发现吉萨高原乃至整个尼罗河谷金字塔的排列与猎户星座的星球排列完全一致！因此有人推测，在远古时期，来自猎户座的外星人来到了地球，并且帮助人类建造了神秘的金字塔，同时，他们在金字塔中留下了代表自己家乡的“密码”。

天文学家的发现

2010年，根据欧洲航天局“赫歇尔”天文望远镜所获得的光谱数据，天文学家们发现猎户座星云中存在生命所需的所有要素。“赫歇尔”天文望远镜是迄今为止人类发射的最大的远红外线望远镜，该望远镜上的高保真设备采用了一种最新科技，可以实现更为敏感的光谱学分析。正是在“赫歇尔”天文望远镜的帮助下，科学家们首次对猎户座星云的化学成分进行了分析，结果，在猎户座星云中发现了碳元素、氮元素等生命诞生所必需的矿物质元素，这一发现也表明，猎户座上可能存在外星生命。

走出地球的“百年星舰”计划

在科幻电影中，人类可以乘坐宇宙飞船在星际间自由地遨游。为了将这一想象变成现实，美国航空航天局开展了一项名为“百年星舰”的宇宙探索计划，希望在百年内能够让人类冲出太阳系，到达其他遥远的星球。

“百年星舰”计划的启动

早在2010年，美国航空航天局就提出了“百年星舰”计划的雏形，他们认为人类应该研制出成熟的长距离载人宇宙方案。2012年9月9日，英国《每日邮报》报道，美国航空航天局和美国国防部高级研究计划局正在开展一项名为“百年星舰”的宇宙探索计划，希望在百年内能够让人类冲出太阳系，抵达其他遥远的星球。2012年9月13日，相关科研人员在休斯敦举行研讨会，讨论计划实施的细节，自此人类对宇宙的探索开启了一个新的篇章。

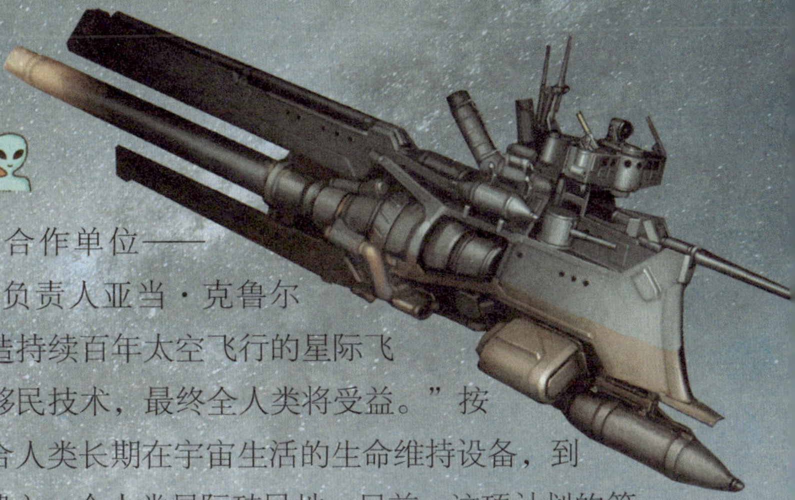

寻找外星殖民地

“百年星舰”计划合作单位——美国伊卡洛斯星际组织负责人亚当·克鲁尔介绍：“我们致力于打造持续百年太空飞行的星际飞船，以及可行性的星际移民技术，最终全人类将受益。”按照计划，飞船将搭载适合人类长期在宇宙生活的生命维持设备，到达目标星球后，在那里建立一个人类星际殖民地。目前，这项计划的第一个目标是太阳系内的火星以及它的两个卫星，未来，这项计划将逐步走出太阳系，在宇宙的更深处寻找适宜人类生存的星球。

改造火星计划

根据“百年星舰”计划预计的进度，美国将在2030年把四名宇航员送上火星，这四名宇航员需要经过大约九个月时间到达火星，他们将携带可以维持生命的设备，在火星上安家落户。还有科学家为改造火星拟订了计划：第一步，通过制造温室气体让火星“升温”，让火星变得像地球一样温暖；第二步，释放火星土壤中的大气，让冰融化成水，并产生雨雪天气；第三步，种植植物；第四步，利用植物的光合作用将二氧化碳转化为氧气；最后一步，等待。这次改造计划也将成为人类首次星际移民的探索。

知识链接

由于“百年星舰”计划的最终目标是太阳系外的行星，因此参加这个计划的宇航员将在宇宙飞船中度过漫长的数十年，由于目标遥远，资金有限，宇航员几乎不可能再返回地球，因此这些宇航员必须具有极强的心理素质。

类地行星探测计划

宇宙中有没有另一个“地球”呢？为了寻找和地球相似的行星，世界各国均开展了类地行星探测计划，人们期望通过这个计划找到地球的“孪生兄弟”，以便迁居到另一个“地球”之上，解决目前地球上出现的能源和人口问题。

地球上的行星“猎手”

为了找到类地行星，美国搜寻地外文明计划研究所以及美国航空航天局艾姆斯研究中心的科学家们利用开普勒式望远镜对太阳系外的行星进行搜索，他们就像行星“猎手”一样，在宇宙中搜寻着不同的星系。迄今为止，这些行星“猎手”已经发现了715颗新的系外行星，这些新发现的系外行星

围绕305颗恒星运行。科学家们相信，如果对这些行星进行研究，就有可能发现和地球相似的行星。

全新的数据分析计划

为了搜索到更多的行星，科学家们采用了一种全新的数据分析计划，即“合并验证方案”。通过这个方案，科学家们不再像过去一样对发现的行星逐个进行分析，而是对大量的行星同时展开分析和研究。这个分析计划可以同时对15万颗恒星及其周围的行星进行分析，并在其中筛选出有研究价值的行星。

首次发现“目标物”

在行星“猎手”们的努力下，2014年4月17日，类地行星探测计划的开普勒团队宣布他们发现了一颗名为Kepler-186f的行星，这是首颗被发现运行于宜居带，大小和地球相似的系外行星，因此这颗行星极有可能就是人们正在寻找的类地行星。目前科学家们正在对这颗行星进行分析，期待找出令人满意的答案。

知识链接

我国中科院空间科学研究所的项目中也有“系外类地行星探测计划”，计划发射一颗卫星，卫星携带一台大口径、长焦距、工作在可见光波段的望远镜，旨在搜寻太阳系附近的类地行星，并开展太阳系附近行星系统的精确探测研究，同时为宇宙距离尺度定标。

寻找人类避难所——宇宙宜居带

你想过没有？如果地球上发生了全球性的大灾难，人类该去哪里避难呢？为了解决这个问题，科学家们将目光投向了浩瀚的宇宙，他们想要在宇宙中寻找一个人类避难所。

宜居带需要具备哪些条件

作为人类的避难所，宜居带必须有和地球类似的基本的生存条件，美国宾夕法尼亚州立大学的天体生物学家詹姆士·卡斯廷和他的同事们就曾经提出过持续宜居带需要具备的条件：在恒星周围的一个类地行星，拥有含有氮气、水和二氧化碳的大气层，并且形成的气候可以使以水为基础的生命存活。

宜居带的位置

在宜居带需具备的条件中，非常重要的一点就是是否有液态水存在，而是否具有液态水和行星所在的位置有很大的关系。行星与恒星的距离若是过远，行星上的水会被冻成冰，星球上就会到处被冰雪覆盖；相反，行星与恒星的距离若是过近，就有可能因辐射量过大而导致水沸腾。因此只有恰到好处的距离才能够维持液态水的存在。科学家们经计算得出，太阳系持续宜居带的宽度是0.95～1.15个天文单位。

发现宇宙避难所

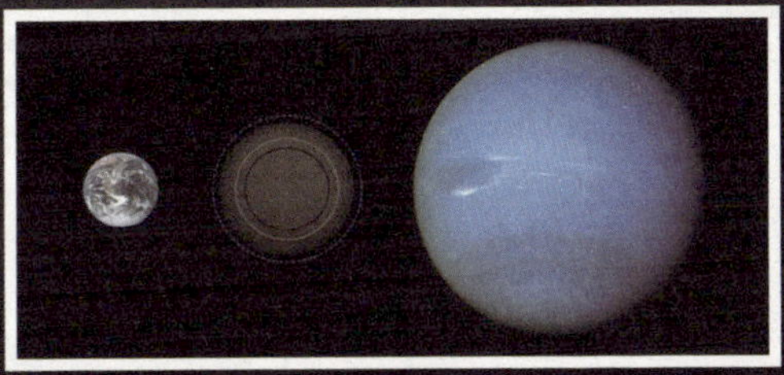

科学家一直在搜寻人类可能居住的第二个“地球”，如今他们找到了一位新的候选人——Wolf-1061c。这颗行星的质量约是地球的4.3倍，它上面可能有水，温度合宜，适合人类居住。它离我们只有14光年，是目前为止在太阳系外发现的宜居行星中离我们最近的一颗。

科学家们认为，宇宙中有数百万颗这样的类地行星，我们只有走出太阳系，走向宇宙深处，才有可能发现更多的宜居带。

模拟外星天体的模型

如果宇宙中有外星人的话，他们会生活在怎样的星球上呢？这些星球和地球会有哪些不同呢？为了找到这些问题的答案，科学家们模拟出了两个可能具有生命的外星天体模型。科学家们相信，使用模拟外星天体的方法有助于人类更快地发现外星文明。

用计算机模拟外星天体模型

为了使搜寻外星文明的工作更有目的性，美国航空航天局、搜寻地外文明计划研究所和英国天文学界、生物学界的科学家们独辟蹊径，用计算机模拟出了可能存在外星文明的星球模型。为了使模型更真实，科学家们对宇宙中的大气进行了各种模拟，测试了在不同情况下一个星球上大气的存在状况。随后，科学家们将所有的数据输入计算机中，使用模拟天体的程序模拟出了银河系中可能存在生命的两个星球的模型，并分别将其命名为“奥里里亚星”和“蓝月星球”。

奥里里亚星的模型

根据科学家们的模拟，奥里里亚星位于银河系中距离地球40光年的位置。在这里有一颗红矮星，而奥里里亚星正是这颗红矮星的行星。在科学家们的推测中，奥里里亚星的大小和地球相似，但是和地球不同的是，它在运行中有一面始终正对着红矮星，而另一面始终背对着红矮

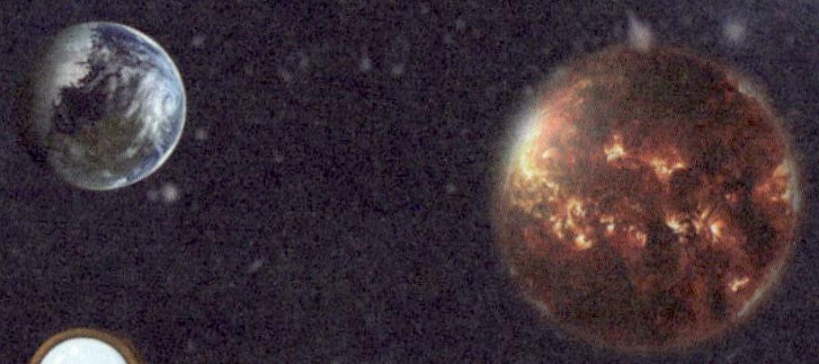

星。因此，在奥里里亚星上存在着特殊的地理环境和气候环境。它的一面气候温暖，有着丰富的液态水，适宜生物生存；但是另一面始终被厚厚的冰层覆盖。同时，在奥里里亚星上没有昼夜交替，它朝着红矮星的一面始终处于白昼之中，而背对着红矮星的一面则被无尽的长夜笼罩。但是在两个地带的交界区，会有一个气候温暖的稳定地带，这里有海水和陆地，很可能有生物。

蓝月星球的模型

在另一个模拟的外星天体蓝月星球中，大气的密度远远高于地球，大约是地球上大气密度的4倍。同时，蓝月星球中大气的成分也和地球上的大气成分不尽相同。在蓝月星球中，大气中的氧气和二氧化碳的含量更高，所以生物在这个星球上的生长速度也会更快，体形也比地球上的生物更大。同时科学家们估计，蓝月星球的引力要远远小于地球，因为大气层密度大，地心引力小，所以蓝月星球上的生物可以轻而易举地飞起来。

寻找奥里里亚星和蓝月星球

科学家们坚信，奥里里亚星和蓝月星球是银河系中最有可能出现外星生命的星球模型。因此，我们只要按照这两个模型在宇宙中进行寻找，必定能找到外星生命。英国剑桥大学进化生物学家西蒙·康威·莫里斯曾提道：“我们确信可以在银河系中发现和奥里里亚星相似的行星，这只是时间问题。”为了寻找和模型相似的行星，科学家们正在对银河系中距离地球较近的红矮星进行搜寻，他们相信，适合生命生存的奥里里亚星和蓝月星球就位于这些红矮星的附近。

宇宙中是否存在奥里里亚星和蓝月星球呢？人类何时才能找到它们呢？只有时间才能告诉我们答案。

搜寻地外生命的新目标——红矮星

长期以来，科学家们都致力于在宇宙中搜寻和太阳类似的恒星，希望在其行星中发现类地行星，进而发现外星生命。但是近年来，一些科学家提出，红矮星的周围也有可能形成宇宙宜居带，因此，红矮星应该成为人类探索宇宙的新目标。

不在搜索名单上的红矮星

红矮星是指表面温度较低，质量较小，发出微弱的暗红光芒的小型恒星。一直以来，科学家们都认为红矮星的周围不可能存在生命。天文学家们指出，红矮星的行星只有一面是朝向红矮星的，这就导致行星的一面始终是白天，而另一面始终是黑夜。同时，红矮星酷爱“发脾气”，它们不定时地出现“耀斑”，释放巨大的辐射，这些辐射有可能会杀死行星上的生命。基于这些理论，红矮星从未出现在搜索地外生命的目标名单中。

科学家的新观点

近年来，有科学家提出了新的观点，他们计算了20颗红矮星的辐射，发现如果一颗行星的大气层和磁场足以散射和反射有害射线，其环境就适合生命存在。同时，尽管红矮星的行星一面始终是白昼，另一面始终是

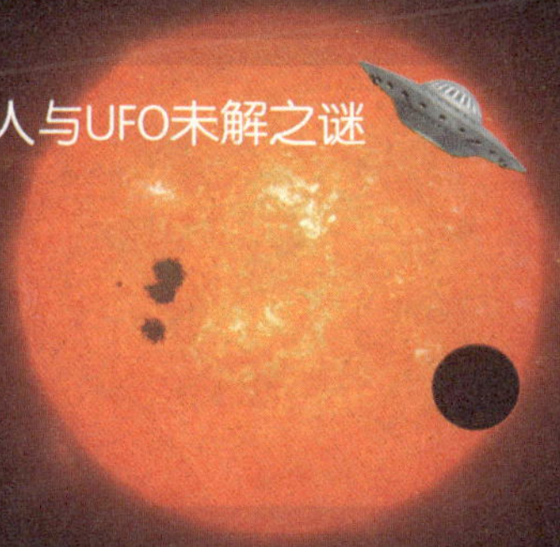

黑夜，但空气流动能传递热量，使行星背阴面也能保持温暖。此外，随着红矮星的“年龄”不断增长，它出现“耀斑”的次数也会越来越少，由于红矮星的寿命非常长，因此它至少能够保持几万亿年甚至更长的稳定状态，这些都有利于生命的诞生。

搜寻红矮星的计划

为了搜寻红矮星周围的宇宙宜居带，科学家们展开了红矮星搜索计划。在计划中，科学家们将对北天球约2000颗红矮星及其行星展开跟踪观测，通过分析它们亮度的变化，来寻找适宜生命诞生的红矮星附近的“中转行星”。

首次发现

随着搜寻红矮星计划的不断开展，2007年，人类首次发现红矮星附近可能存在生命的行星。欧洲的天文学家们在一颗编号为Gliese-581的红矮星附近发现了一颗可能存在生命的行星，这颗行星的编号为Gliese-581c。数据显示，这颗行星距离红矮星有0.07个天文单位，这个距离使得行星上的温度不冷不热，同时这个距离也有利于行星表面形成液态水，这些都是生命诞生的必要条件。但是这些都只能证明Gliese-581c适宜生命生存，究竟这里有没有外星生命，还有待科学家们进一步研究。

寻找宇宙中的“戴森球”

在探寻外星文明的过程中，科学家们曾尝试在宇宙中寻找一种特殊的“戴森球”结构，他们认为这种特殊的结构和外星文明之间有一定的关系。到底什么是“戴森球”呢？为何它和外星文明有关呢？人类在寻找戴森球的过程中又取得了哪些进展呢？

费里曼·戴森

戴森球的概念

“戴森球”是美国著名的物理学家弗里曼·戴森在1960年提出的一种理论，它是指设想中的一种巨型人造天体结构。戴森球是由环绕恒星的卫星组成的一个球体结构，这些卫星完全包围恒星，并且获得恒星输出的大部分能量。弗里曼·戴森认为，当文明发展到一定阶段时，生物必定会想方设法利用恒星输出的能量，因此一个高度发达的文明必定有能力用卫星将恒星包围起来，形成戴森球结构，以便收集恒星的能量。

寻找戴森球的方法

戴森球可能和外星文明有关，但是我们要如何在浩瀚的宇宙中寻找戴森球结构呢？科学家们普遍认为，建造戴森球的目的是尽可能多地收集恒星产生的能量，所以戴森球的周围必定会聚集大量能量，这些能量会导致戴森球附近的温度升高，从而向外辐射大量的红外线。此外，在戴森球结构中，恒星被大量卫星包围，恒星的光亮度必定受到影响，因此，人类可以通过在宇宙中搜寻红外线和光信号来找到戴森球。

搜寻戴森球的计划

2012年，宾夕法尼亚州立大学的詹森·莱特教授和其他的天文学家一起组成了一个特殊的天文小组，他们的目的就是在宇宙中搜寻戴森球。随

后，加州大学伯克利分校和搜寻地外文明研究所等机构也逐步开展了自己的戴森球搜索计划。在计划中，科学家们将使用宇宙探测器对宇宙中的恒星进行监测，通过收集红外线信号和光信号来探测戴森球。

疑似戴森球被发现

2015年，美国的戴森球搜寻计划取得了重大的进展。科学家们在对距离地球1480光年的KIC-8462852恒星系统进行监测时，发现这个恒星会出现一系列奇异的光波动，这种波动和其他恒星的波动并不相同，更像是一个巨大的不明物体从恒星周围经过形成的。科学家们推测，这可能意味着这个恒星的周围存在着大量的轨道和卫星。而这个恒星系统极有可能是人类正在寻找的戴森球。目前，科学家们正在尝试对这个恒星系统进行进一步的探测。

搜寻戴森球是人类探索宇宙、寻找外星文明计划中的重要一步，也许在不久的将来，人类就会在宇宙中找到戴森球和外星文明。

发往宇宙的星际“电报”

人类在探索外星文明的过程中，最常使用的方法就是向可能存在外星文明的星团发送星际信息。自1974年以来，人类已经向宇宙发送了许多包含地球和人类信息的信号，科学家们期望这些星际信息能够成为联系人类和外星文明的桥梁。

第一则星际信息：阿雷西博信号

1974年，人类开始尝试着向宇宙发送信号，发出信号的是阿雷西博射电望远镜，因此这个信号也被称为阿雷西博信号。这个信号发往距离地球约25000光年的M13球状星团，信号的内容十分简单，仅包含了1679个二进制数字。

前后两次宇宙呼叫

1999年，乌克兰通过RT-70无线电天文望远镜向宇宙发送了罗塞达石星际语言，罗塞达石星际语言是一种建立在数学和科学基础上的全宇宙通用的语言信息。四年之后的2003年，罗塞达石星际语言被再一次送往太空，这次发送的信息内容包含了照片及其他多媒体文件。

来自地球的电子音乐

2001年，俄罗斯的无线电工程师亚历山大·扎伊采夫将一段电子音乐发往了六颗恒星，其中包括大熊座47星。大熊座47星所在的星系和太阳系极为相似，因此，有人推测在这个星系内可能存在着外星生命。如果这些星系中真的存在着外星生命，那么他们将在2047年听到这段来自地球的音乐。

发往太空的“披头士”

2008年2月，为了纪念美国航空航天局成立50周年，美国的天文学家将英国传奇乐队——披头士的音乐送上了太空。披头士的音乐被发往了北极星，科学家们预测，这些音乐将在2439年到达目的地。

奇特的太空广告

2008年 6月，科学家们向宇宙发出了一则特殊的信息——广告。这次发送信息的目的地是大熊座47星，信息的内容则是某宠物狗粮的广告。发送这则特殊的星际信息的装置是安装在北极圈的雷达。

大熊星座的47号星

来自地球的问候

2009年，《宇宙》杂志开启了一项名为“来自地球的问候”的计划，该杂志收集了一组人类问候宇宙和外星文明的信息，这组信息从澳大利亚的堪培拉发往了Gliese-581d，预计2029年这些信息会到达目的地。

数十年来，人类不断地向宇宙发送星际信息，但是到目前为止，这些信息还没有得到回复。科学家们推测，若真的有外星文明存在，那么总有一天，这些星际信息会被外星人收到。

知识链接

宇宙语言是指人类为了与宇宙中的其他生命进行交流所创造出来的人工语言。数学家弗朗西斯·哥尔登指出，数学是文明的核心，用数学方法表达语言是最容易被外星人接受的。

美国的火星探测

火星是太阳系的八大行星之一，也是目前为止人类了解最多的行星。人类对火星的探测几乎贯穿整个人类航天史，迄今为止，美国航空航天局已经向火星发射了十几颗探测器，现在就让我们一起来回顾一下人类火星探测的历史吧！

首次到达火星的探测器

早在20世纪60年代初，人类就开始尝试着向火星发射探测器，1964年，美国航空航天局发射了一枚叫“水手”3号的火星探测器，这枚探测器发射后偏离轨道，最终导致发射失败。随后，美国航空航天局又于同年的11月28日发射了“水手”4号探测器，这是有史以来人类第一枚成功到达火星并发回数据的探测器。

那些围绕着火星的探测器

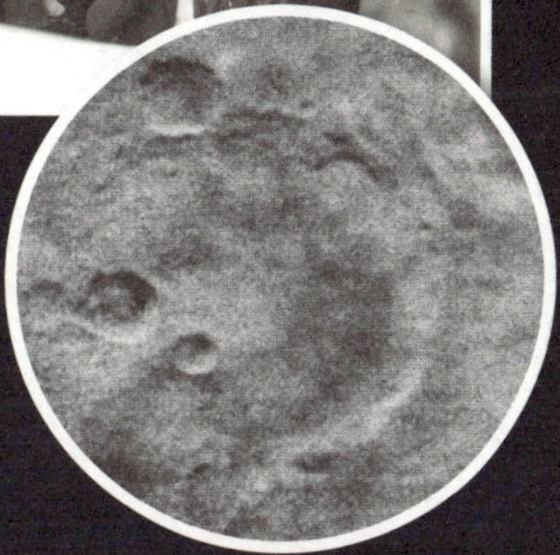

自“水手”4号发射成功后，美国航空航天局又陆续发射了“水手”6号、“水手”7号、“水手”8号、“水手”9号等探测器。1971年，美国发射的“水手”9号成为有史以来第一枚成功进入环绕火星轨道的探测器。它在火星轨道上工作了将近一年，发回了7000多张照片，这些照片涵盖火星表面70%的部分，同时它对火星的两颗卫星也进行了探测。

在火星着陆的火星车

1997年7月4日，美国航空航天局发射的“火星探路者”在火星表面着陆，它携带着一个名为“索杰纳”号的火星车，这也是人类送往火星的第一部火星车。名为“索杰纳”号的火星车是一个小型机器人，它以太阳能为动力，目的是搜集有关火星岩石和土壤成分的数据。在接下来的几年里，美国又陆续向火星发射了“勇气”号、“机遇”号等火星车。

远征火星的计划

目前，美国航空航天局制订了载人登陆火星的新计划。到2025年，美国政府希望新的远程航天器能把美国宇航员送到火星的小行星上。到21世纪30年代中期，美国将把人类送上火星轨道，并安全返回地球，甚至登上火星。

随着对火星探测的不断深入，人类逐步揭开了火星神秘的面纱。也许在不久的将来，我们都可以乘坐着宇宙飞船去火星进行奇幻的星际旅行。

探索·发现
——宇宙发现之最

人类对宇宙探索的步伐从未停止，在探索宇宙的过程中有很多新奇的发现。今天就让我们来看看那些宇宙发现之最吧！

旋转速度最快的恒星

目前科学家制造出的旋转速度最快的人造物体每分钟旋转6亿次，它的直径仅有百万分之四米，相当于旋转速度为7.5千米/分钟。事实上，宇宙中的恒星虽然体积庞大却毫不逊色，VFTS-102是科学家迄今观测到的自转速度最快的超大质量恒星，该恒星赤道区域环绕轴心以600千米/秒的速度高速旋转，被称为宇宙“旋转木马”。

最大的星系

银河系直径为10万～12万光年，相比之下IC-1101星系则是庞然大物，足以容纳数千个银河系，是迄今发现的最大的星系。如果IC-1101位于银河系的位置，大麦哲伦星系、小麦哲伦星系、仙女座星系、三角座星系将被包含在内。

最寒冷的恒星

通常人们都会认为恒星是非常炽热、明亮的，而且体积庞大，但有时一些恒星会让人们失望。其中位于天琴星座的褐矮星WISE 1828+2650是最冷褐矮星纪录的保持者。据估测，其地表温度与室温接近，约为25摄氏度。

磁性最强的天体

迄今为止，人类发现的宇宙中磁性最强的天体是中子星SGR 0418+5729。这颗中子星是2009年欧洲航天局发现的。天文学家认为其磁场的强度相当于家用电冰箱箱门磁条强度的20万亿倍。这颗中子星被人们称为“磁场怪兽”。

最老的恒星

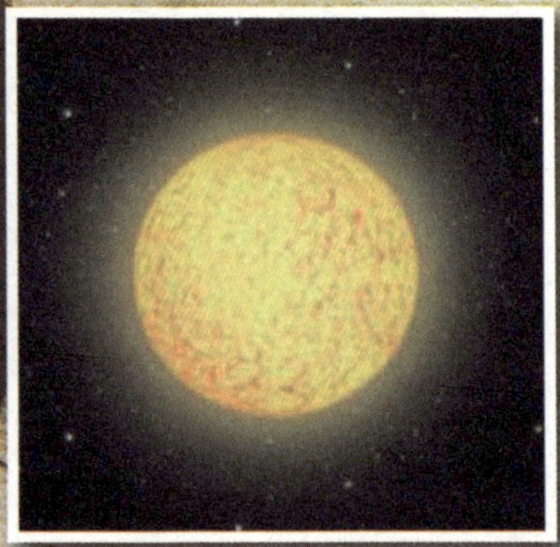

HE 1523−0901是一颗位于天秤座的红巨星，它在银河系内，是目前发现的年龄最老的恒星。天文学家通过欧洲南方天文台的甚大望远镜测量出为其年龄为132亿年，而宇宙年龄大约为137亿年。

读者反馈卡

感谢您购买《探索天下·学生版　外星人与UFO未解之谜》，贺您正式成为了我们的“热心读者”，请您认真填写下列信息，便我们和您联系。您如有作品和此表一同寄来，我们将优先采用您的作品。

读者档案

姓名________________　年级____________________

电话________________　QQ号码________________

学校名称______________________________________

班级________________　邮编____________________

通信地址____________省____________市（县）____________区（乡/镇）__________________街道（村）

任课老师及联系电话__________________　课本版本__________

您认为本书的优点是____

您认为本书的缺点是____

您对本书的建议是____

____

您在使用过程中发现的错误，可另附页。

联系我们：北教小雨文化传媒（北京）有限公司

地址：北京市北三环中路6号北京教育出版社

邮编：100120

联系人：北教小雨编辑部

联系电话：010-82012300

邮箱：beijiaoxiaoyu@163.com

*此表可复印或抄写寄至上述地址

请沿此虚线剪下

编者声明

本书的编选，参阅了一些报刊和著作。由于联系上的困难，我们与部分作者未能取得联系，谨致深深的歉意。敬请原作者见到本书后，及时与我们联系，以便我们按国家有关规定支付稿酬并赠送样书。

联系人：北教小雨编辑部

地　址：北京市北三环中路6号北京教育出版社

邮　编：100120

电　话：010-82012300